Herbert Haag

Vom alten zum neuen Pascha

Stuttgarter Bibelstudien 49

herausgegeben von
Herbert Haag, Rudolf Kilian und Wilhelm Pesch

Herbert Haag

Vom alten zum neuen Pascha

Geschichte und Theologie des Osterfestes

KBW Verlag Stuttgart

ISBN 3-460-03491-2

Umschlag: Hans Burkardt
Gesamtherstellung: Buch- und Offsetdruckerei Georg Riederer, Stuttgart

Der École Biblique in Jerusalem
zu ihrem 80. Geburtstag
15. November 1890 / 15. November 1970

Vorwort

Vor mehr als einem Jahrzehnt hatte ich in dem für den »Supplément au Dictionnaire de la Bible« (VI, 1120-1149) geschriebenen Artikel »Pâque« erstmals Gelegenheit, einen Abriß der Geschichte des israelitisch-jüdischen Pesachfestes vorzulegen (verkürzt wieder aufgenommen in den Artikeln »Passah« im Lexikon für Theologie und Kirche² (VIII, 133-137) und »Pascha« im Bibel-Lexikon (²1968, 1312-1316). Den Anstoß zu diesem Heft gab indes eine Vorlesung über Geschichte und Theologie des Paschafestes, die ich im Sommersemester 1966 an der Universität Tübingen hielt. Infolge Belastung durch andere Verpflichtungen mußte die Arbeit allerdings zunächst hinausgeschoben werden. Zudem waren manche Fragen neu zu überdenken. Immerhin war das Manuskript leider schon abgeschlossen, als mir die sorgfältige literarkritische und überlieferungsgeschichtliche Untersuchung der alttestamentlichen Pesachtexte von P. Laaf, Die Pascha-Feier Israels, Bonn 1970, überreicht wurde, so daß ich mich nur noch durch Nachträge in den Fußnoten darauf beziehen konnte.

Meinem Assistenten Meinrad Limbeck habe ich für seine sachkundige Beratung und Hilfe bei der Abfassung des letzten Kapitels zu danken, Ingeborg Burkard für die hingebende und sorgfältige Betreuung des Manuskripts und der Korrekturen sowie die Erstellung des Registers, Eva Maria Henn für die nicht immer leichte Reinschrift des Manuskripts, Toni Zimmermann für die Kontrolle der Zitate.

Als Schüler der École Biblique in Jerusalem durfte ich in der Heiligen Stadt erstmals ein jüdisches Pesachmahl mitfeiern. Auch fühle ich mich dieser Schule in meiner ganzen exegetischen Arbeit verpflichtet. Es sei mir daher gestattet, ihr und dem Andenken ihres Gründers, J.-M. Lagrange, diese Arbeit zu widmen.

Tübingen, am 15. November 1970 — Herbert Haag

Inhalt

Einleitung

1. Pascha und Kirche

Nach der Lehre des Zweiten Vatikanischen Konzils ist das ganze Wirken der Kirche eine fortdauernde Feier des Paschamysteriums.[1] »Vornehmlich durch das Paschamysterium seines seligen Leidens, seiner Auferstehung von den Toten und seiner glorreichen Himmelfahrt« hat ja Christus, der Herr, das Werk der Erlösung der Menschen und der vollendeten Verherrlichung Gottes erfüllt.[2] Indem er die Kirche »als Werkzeug der Erlösung angenommen und ... in alle Welt gesandt« hat,[3] hat er sie berufen und bestellt, mit ihrem Herrn bis ans Ende der Zeiten das Paschamysterium zu vollziehen.[4]

Von diesem Mysterium strömt die göttliche Gnade aus, die das Leben der Gläubigen heiligt; aus ihm leiten alle Sakramente ihre Kraft her.[5] Durch die Taufe werden die Menschen »in das Paschamysterium Christi eingefügt«[6], und niemals hat die Kirche aufgehört, sich zu versammeln, um in Schriftlesung und Eucharistie das Paschamysterium zu feiern.[7] Die Gläubigen sollen »durch die Eucharistie das Paschamysterium tiefer erkennen und leben«[8], denn diese ist selbst »das Paschamahl«[9], sie »enthält ja das Heilsgut der Kirche

---

[1] Im folgenden werden alle im offiziellen Register (Lexikon für Theologie und Kirche. Das Zweite Vatikanische Konzil III, Freiburg i. Br. 1968, 742) erfaßten Texte angeführt, in denen vom Pascha die Rede ist, mit Ausnahme von dreien, die sich lediglich auf das kirchliche Kalendarium beziehen (Konstitution über die heilige Liturgie, Art. 70. Appendix; Dekret über die katholischen Ostkirchen, Art. 20).

[2] »praecipue per suae beatae Passionis, ab inferis Resurrectionis et gloriosae Ascensionis paschale mysterium«; Konstitution über die heilige Liturgie, Art. 5.

[3] Dogmatische Konstitution über die Kirche, Art. 9.

[4] Vgl. Konstitution über die heilige Liturgie, Art. 6.

[5] Ebd. Art. 61.

[6] Ebd. Art. 6; vgl. Dekret über die Missionstätigkeit der Kirche, Art. 14.

[7] Ebd.; vgl. Art. 106.

[8] Dekret über die Hirtenaufgabe der Bischöfe in der Kirche, Art. 15.

[9] »convivium paschale«; Konstitution über die heilige Liturgie, Art. 47.

in seiner ganzen Fülle, Christus selbst, unser Pascha(lamm)«[10]. Durch die Feier der Erlösungsgeheimnisse, »ganz besonders (maxime vero) des Paschamysteriums«, soll die christliche Frömmigkeit genährt werden.[11] »Mit den ›Paschasakramenten‹ gesättigt«, werden die Gläubigen befähigt, »›in Liebe eines Herzens‹« zu sein,[12] »einen festgefügten Leib in der Einheit der Liebe Christi« zu bilden.[13] Wohl bleibt der Christ vielen Anfechtungen und dem Tod preisgegeben, »aber dem Paschamysterium verbunden und dem Tod Christi gleichgestaltet, eilt er . . . der Auferstehung entgegen«[14]. Darum soll auch »der Ritus der Exsequien . . . deutlicher den Paschacharakter des christlichen Todes ausdrücken«[15].

In heiligem Gedenken feiert die Kirche das Heilswerk des Herrn jährlich mit ihrem höchsten Fest, dem Pascha(fest),[16] auf das sie sich durch die Bußübung der Quadragesima und das Paschafasten des Karfreitags bereitet.[17] Das ganze Jahr hindurch begeht sie jede Woche das Gedächtnis der Auferstehung am Herrentag.[18] Dieser ist die wöchentliche Feier des Paschamysteriums und daher der »Ur-Feiertag«, dem keine andere Feier vorgezogen werden soll.[19] Doch verkündet die Kirche auch an den Heiligenfesten nichts anderes als »das Paschamysterium in den Heiligen, die mit Christus gelitten haben und mit ihm verherrlicht sind«[20].

Aber nicht allein an den Heiligen des liturgischen Kalenders, sondern auch an den Gliedern der auf Erden sichtbaren Kirche soll das Paschamysterium aufscheinen. Durch das persönliche »Zeugnis des Lebens, das . . . die wahre österliche Freude offenbar macht«[21], sol-

---

[10] »Pascha nostrum«; Dekret über Dienst und Leben der Priester, Art. 5; vgl. Dogmatische Konstitution über die Kirche, Art. 3.

[11] Konstitution über die heilige Liturgie, Art. 107.

[12] Ebd. Art. 10 (= Postcommunio der Ostervigil und des Ostersonntags).

[13] Dekret über die Hirtenaufgabe der Bischöfe, Art. 15.

[14] Pastoralkonstitution über die Kirche in der Welt von heute, Art. 22.

[15] Konstitution über die heilige Liturgie, Art. 81.

[16] »solemnitate maxima Paschatis«; ebd. Art. 102.

[17] Ebd. Art. 109f.

[18] Art. 102.

[19] »primordialis dies festus«; ebd. Art. 106.

[20] Ebd. Art. 104.

[21] Dekret über Dienst und Leben der Priester, Art. 11 (»verum gaudium

len sie das Paschamysterium Christi überzeugend darleben.[22] Zwar beziehen sich die beiden genannten Stellen im Kontext auf die Priester. Indes ist nach der Dogmatischen Konstitution über die Kirche »jedem ... klar, daß alle Christgläubigen jeglichen Standes oder Ranges« zur Heiligkeit berufen sind,[23] und das gleiche Dokument fordert: »Jeder Laie muß vor der Welt Zeuge der Auferstehung und des Lebens Jesu ... sein«[24]. Wir dürfen demnach mit gutem Recht das oben Gesagte auf alle Glieder der Kirche anwenden; nicht nur das priesterliche, sondern alles christliche Leben und Wirken »entströmt dem Pascha Christi«[25]. Daß das Paschamysterium sich im Leben der Gläubigen ausdrücke, ist denn auch Sinn und Ziel aller Seelsorge.[26]

Das hier zum Ausdruck kommende Verständnis des Paschamysteriums als des zentralen christlichen Heilsmysteriums ist jedoch nichts Neues. Es ist vielmehr so alt wie die Kirche selbst, bezeugt in den Urkunden des christlichen Glaubens, in den Schriften des Neuen Testaments. Auf den Tod und die Auferstehung des Herrn bezieht die apostolische Kirche die Grundlegung des christlichen Lebens, die Taufe (Röm 6,3-5; vgl. Kol 2,12). In der Feier des heiligen Abendmahls begeht sie stetsfort das Gedächtnis des Todes Jesu, des Pascha des Neuen Bundes (1 Kor 5,7; 11,26).

Die theologischen Begriffe »Pascha« und »Neuer Bund« scheinen allerdings auf den ersten Blick disparate Größen zu sein. Pascha ist

---

paschale«); da im kirchlichen, zumindest im liturgischen, Sprachgebrauch die Begriffe »Pascha« und »Ostern« geradezu gleichgesetzt sind (vgl. S. 133-136), gibt die offizielle deutsche Übersetzung der Konzilstexte — der hier gefolgt ist — sicher zu Recht häufig »paschalis« mit »österlich« wieder.

22 Dekret über die Ausbildung der Priester, Art. 8.

23 Art. 40.

24 Art. 38. — Befremdlicherweise erwähnt die zweifellos umfangreichste Konzilsverlautbarung, die Pastoralkonstitution, einzig an der oben genannten Stelle (vgl. Anm. 14) den vom Paschamysterium geprägten Charakter des christlichen Lebens.

25 Vgl. Dekret über Dienst und Leben der Priester, Art. 2.

26 Vgl. Instruktion zur ordnungsgemäßen Durchführung der Konstitution über die heilige Liturgie, Art. 6, in: Liturgisches Jahrbuch 14 (1964) 261-284, hier 262 (»ut Mysterium paschale vivendo exprimatur«).

ein aramäisches Wort, dem im Hebräischen das Wort Pesach entspricht; Pesach aber ist der Name des ältesten uns im Alten Testament bezeugten Festes Israels. Wenn wir dennoch vom Pascha des Neuen Bundes sprechen, so bedeutet das, daß dieses Pascha Israels in der Kirche als Heilsmysterium weiterlebt: daß das christliche Pascha in ununterbrochener Kontinuität das Pascha Israels fortsetzt, daß es aber nun jenes Heil darstellt und gewährt, »dessen Vorspiel die göttlichen Machterweise am Volk des Alten Bundes waren«[27] und als dessen Urheber der christliche Glaube Jesus von Nazareth weiß.

Ist also das Paschamysterium die Mitte der Kirche, die Mitte der Seelsorge, die Mitte unseres geistlichen Lebens mit Christus, dann muß es für uns von erregendem Interesse sein, die Geschichte dieses Festes abzuschreiten von seinen vorisraelitischen Wurzeln bis hin zur christlichen Kultfeier. Die Aufgabe scheint um so dringender zu sein, als in deutscher Sprache eine neuere Monographie über die Gesamtgeschichte des Paschafestes fehlt.[28]

2. Opfer und Feste

Im kultischen *Opfer* begegnen wir einer der ursprünglichsten und zugleich vollkommensten Ausdrucksformen der Gottesverehrung. Es scheint einer Naturgegebenheit zu entsprechen, daß der Mensch, der sein Dasein als stets bedroht erfährt, sich gedrängt fühlt, Kontakt zu suchen zu den unsichtbaren Mächten, von deren Walten sowohl der Lauf der Welt wie sein eigenes Leben abhängig ist, und daß er diesem Sich-Ausstrecken zur Gottheit hin sinnenfälligen Ausdruck verleiht in der rituellen Opferhandlung.

Alle antiken Religionen des Mittelmeerraumes kennen die Darbringung von Opfern unter den mannigfaltigsten Riten und unter ver-

---

[27] Konstitution über die heilige Liturgie, Art 5.

[28] Mit der Geschichte des Festes im Alten Testament beschäftigen sich vor allem die wertvollen Aufsätze von *H.-J. Kraus*, Zur Geschichte des Passah-Massot-Festes im Alten Testament: EvTh 18 (1958) 47-67, und *E. Kutsch*, Erwägungen zur Geschichte der Passafeier und des Massotfestes: ZThK 55 (1958) 1-35. Eine literarkritische und überlieferungsgeschichtliche Studie der alttestamentlichen Pesachtexte bietet neuestens die Bonner Dissertation von *P. Laaf*, Die Pascha-Feier Israels, Bonn 1970.

schiedenen religiösen Leitideen. Bei allen semitischen Völkern des Alten Orients finden wir hoch differenzierte Opferkulte, heilige Handlungen, heilige Orte und heilige Zeiten. So wurden denn bei den Ausgrabungen kanaanitischer Städte in Palästina bis zu den ältesten Schichten immer wieder Altäre und Opferstätten freigelegt.

Gewiß wäre es falsch zu sagen, echte Religiosität sei ohne kultisches Opfer undenkbar. Den Gegenbeweis liefern der Frühbuddhismus, das nachbiblische Judentum, der Islam und der Protestantismus, die vier großen opferlosen Religionen (wobei allerdings die Frage zu stellen ist, ob es sich hier – mit Ausnahme des Buddhismus, der keinen Glauben an einen persönlichen Gott, also an einen Adressaten eventueller Opfer, kennt – wirklich um opfer*lose* Religionen handelt oder ob nicht vielmehr der Opfergedanke sich sublimiert und verinnerlicht und vergeistigt hat; diese Entwicklung bahnt sich bereits bei den älteren Propheten an, etwa bei Hosea: »Denn an Liebe habe ich Gefallen und nicht an Schlachtopfern, an Gotteserkenntnis mehr als an Brandopfern« [6,6, vgl. Jes 1,10-17; Am 5,21-24]). Jedenfalls steht fest, daß in der Religion des Alten Testaments das kultische Opfer einen zentralen Platz einnimmt.[29]

Auch das *Fest* gehört zu den elementarsten menschlichen Gegebenheiten. Das Leben erschlafft und stirbt ab, wenn es nicht immer wieder in einer Durchbrechung des Alltags aufatmen und sich verjüngen kann. Dies geschieht im Fest, das gekennzeichnet ist durch die freudige Gehobenheit der Feiernden, die Stiftung und Festigung von Gemeinschaft, den – wenn auch nicht immer unmittelbar erkennbaren – Bezug zu überpersönlichen, über das Leben des einzelnen hinausführenden Wirklichkeiten.
Das Fest vermittelt Freude. Es ist aber gleichzeitig Ausdruck der Freude und des Dankes. Anlässe, ein Fest zu feiern, sind daher beglückende oder glückverheißende Ereignisse im Lebenslauf des Menschen oder einer Menschengruppe, in der Geschichte eines Volkes, in der Natur, in der Heilsgeschichte, oder deren Gedächtnistage.

---

[29] Zum Opfer vgl. *R. de Vaux,* Das Alte Testament und seine Lebensordnungen II, Freiburg i. Br. 1962, 259-308 sowie *R. Rendtorff,* Studien zur Geschichte des Opfers im alten Israel, Neukirchen-Vluyn 1967.

Jedes Fest wird durch eine Feier begangen, die einem gewissen Ritus folgt. Andererseits hat nicht jede Feier den Charakter eines Festes. Dennoch läßt sich eine enge Beziehung des Festes zum Bereich des Kultischen nicht übersehen (dies gilt auch für jene Feste – im Altertum wie in der Gegenwart –, deren sakrales Element verlorengegangen ist), und es ist gewiß kein Zufall, daß in den Religionen, die das Opfer kennen, das Fest in der Regel mit der Darbringung eines kultischen Opfers begangen wird.[30]

Weil die Feste Freude und damit neues Leben spenden, sind sie nach dem Glauben alter Religionen von den Göttern gestiftet, sind sie ein Geschenk der Götter an die Menschen. Auch nach israelitischer Vorstellung ist es Jahwe selbst, der die *Kultzeiten* bestimmt hat. Ein Fest ist »ein Tag, den Jahwe gemacht«, damit das Volk an ihm frohlocke und sich freue (Ps 118,24). Mit der gleichen Selbstverständlichkeit antwortet Jesus Sirach auf die Frage der Jerusalemer Intelligenz, »warum ein Tag den anderen überrage«, das heißt, warum es denn überhaupt Feste gebe:

»Durch die Weisheit Jahwes sind sie unterschieden;
er hat die Zeiten und Feste differenziert.
Die einen segnete und heiligte er,
die anderen stellte er in die Zahl der (gewöhnlichen) Tage«
(Sir 33,7-9).

Hier wird offensichtlich auf die Segnung und Heiligung des Sabbattages durch Gott Gen 2,3 angespielt. Diese theologische Deutung ändert jedoch nichts an der Tatsache, daß auch den semitischen Völkern des Alten Orients die Kultzeiten zunächst durch den Rhythmus der Natur, durch die Tageszeiten, die Jahreszeiten und den Zyklus des Mondes nahegelegt wurden. Als besonders gefahrvoll und daher durch Opfer zu schützen galten Übergangszeiten (der Wechsel von Tag und Nacht, die Mondphasen, die Jahreswende).[31]

---

[30] Zum Thema »Fest« vgl. etwa die Übersicht von *Th. Klauser,* Fest, in: Reallex. f. Antike u. Christentum VII 1969, 747-766; mit Lit.

[31] Vgl. *A. van Gennep,* Rites de passage, Paris 1909. *F. Heiler,* Erscheinungsformen und Wesen der Religion, Stuttgart 1961, 150, definiert die Kultzeiten geradezu als Übergangszeiten: »Die heilige Zeit ist die ›Stelle, wo der Einschnitt erfolgt‹, die Kerbe, der außerordentliche, der entscheidende, gefährliche Augenblick.«

Wir finden im israelitischen Kult ein tägliches Morgenopfer und ein tägliches Abendopfer.[32] Dieser Brauch des Morgen- und Abendopfers geht offenbar auf altes Empfinden und Herkommen zurück. Sein Sinn kann kaum ein anderer sein, als daß der Übergang von einer Zeitgröße zur anderen, hier von der Nacht zum Tag und vom Tag zur Nacht, durch eine Kulthandlung gesichert und geheiligt werden soll.

Die entsprechende Praxis wurde geübt beim Übergang einer Mondphase in eine andere. Daß der Neumondtag als Feiertag begangen wurde, läßt sich bis in frühe Zeit zurückverfolgen.[33] Durch seine regelmäßigen Phasen bestimmt der Mond die Zeit schlechthin (Gen 1,14), und so bedeutet die Heiligung des Neumondtages die Unterstellung aller Zeit unter das Walten Gottes. Die erste biblische Erwähnung haben wir aus der beginnenden Königszeit. Zur Feier des Neumonds wurde ein sakrales Mahl veranstaltet (1 Sam 20,5.24; für den sakralen Charakter des Mahles vgl. Vs. 26). Auch das jährliche Opfer der Sippe scheint man an einem Neumondtag gehalten zu haben (ebd. Vss. 6.29). Die vorexilischen Propheten bezeugen den Neumondtag als Feiertag, an dem keine Geschäfte betrieben werden durften (Am 8,5; Hos 2,13; Jes 1,13f). Das Opferritual der Priesterschrift sieht für die Neumondfeier ein größeres Brandopfer mit Speise- und Trankopfern vor (Num 28,11-15). Noch die junge Kirche hatte Mühe, sich von der Bindung an den Neumond zu lösen. Deshalb betont Kol 2,16, der Neumond gehöre zu den bedeutungslos gewordenen Feiertagen.

Mit noch größerer Feierlichkeit als der Monatsanfang wurde aber der Jahresanfang begangen. Im Gegensatz zur bäuerlichen Zivilisation, für die der Herbst die Jahreswende darstellte, legte es sich für den Nomaden nahe, den Frühling als den Beginn eines neuen Jahres anzusehen.[34] Nach der Regenperiode des Winters (Novem-

---

[32] Für die Königszeit sind bezeugt ein Brandopfer am Morgen und ein Speiseopfer am Abend (2 Kön 16,15, vgl. 1 Kön 18,29). Im nachexilischen Tempel wurde am Morgen und am Abend ein Brandopfer dargebracht (Ex 29,39; Num 28,4).

[33] Vgl. *de Vaux* (Anm. 29) 324.

[34] Zu den Festen der Jahreswende vgl. *B. Reicke*, Jahresfeier und Zeitenwende im Judentum und Christentum der Antike: ThQ 150 (1970) 321-334.

ber bis März) blüht für kurze Zeit die Wüste. In dieser Zeit werfen die Schafe ihre Jungen. So erfuhr der Nomade den Frühling unmittelbar als Neubeginn des Lebens, als das beglückendste und aufregendste Ereignis des ganzen Jahres, und deshalb war auch das Fest, das diesem Ereignis galt – es war das Paschafest –, das beherrschende Fest des ganzen Jahres.

Es ist für uns bedeutsam, daß das Datum dieses Festes, wie wir unten sehen werden, durch den Frühlingsvollmond festgelegt war. Denn nach dem kirchlichen Kalendarium wird ja das Osterfest am Sonntag nach dem Frühlingsvollmond begangen, und dieses Datum bestimmt den ganzen Verlauf des Kirchenjahres. Somit stehen wir heute noch in einer Tradition, die bis in frühgeschichtliche Zeiten zurückreicht.

Für die Nomaden bedeutete der Frühling aber noch in anderer Hinsicht eine Übergangssituation. Zu dieser Zeit vollzog sich jährlich der gefahrvolle Wechsel aus den Winterweiden in Wüste und Steppe zu den Sommerweiden im näheren Bereich des Kulturlandes.[35] Damit waren die besten Voraussetzungen gegeben, daß das Frühlingsfest des Pascha in Israel zum kultischen Gedächtnis jenes heilsgeschichtlichen großen Aufbruchs aus der Knechtschaft Ägyptens in das neue Leben der Freiheit werden konnte. Wir haben es in Israel ja nie nur mit Naturfesten zu tun. Denn wenn der israelitische Festkalender auch im natürlichen Ablauf der Jahreszeiten begründet ist, so wurden doch die nomadischen beziehungsweise agrarischen Feste innerhalb des Jahwe-Glaubens schon früh mit heilsgeschichtlichen Motiven verbunden. Für den Israeliten war bereits die Schöpfung eine Heilstat seines Gottes, und damit auch der Wechsel von Tag und Nacht, von Monaten und Jahren. Drängte ihn somit schon Jahwes Walten in der Natur zu dankbarer Feier, so galt das noch mehr von den göttlichen Heilstaten in der Geschichte seines Volkes, und vorab von dem grundlegenden Heilsereignis, dem Exodus. Im Pascha der Wüstennomaden wurzelnd, verbindet das Pascha Israels das alte Frühlingsfest des neuen Lebens mit der kultischen Vergegenwärtigung dieses historischen Ereignisses. Beide Festinhalte wer-

[35] Vgl. *L. Rost,* Weidewechsel und altisraelitischer Festkalender: ZDPV 66 (1943) 205-216 = Das kleine Credo ..., Heidelberg 1965, 101-112.

den ja von den gleichen Motiven bestimmt: Ende der alten Existenz, Aufbruch in die Freiheit, Gabe des neuen Lebens.
Hier werden aber auch schon die zentralen Inhalte christlichen Glaubens sichtbar. Darum konnte das Fest nach seiner neubundlichen Umstiftung zum Inbegriff des Heils und zum Höhepunkt des kultischen Heilsgeschehens werden, zu dem sich die Kirche gläubig bekennt.

I. Name und Bedeutung des Namens

1. Hebräische Bibel

a) Statistisches

Das Fest, dem unsere Aufmerksamkeit gilt, wird im masoretischen Text des Alten Testaments durchgehend mit dem Namen *pesaḫ* bezeichnet. Die dazugehörende Verbalwurzel *psḫ* findet sich 3mal in den Paschavorschriften Ex 12,13.23.27. Wir werden zu untersuchen haben, welches an diesen Stellen die Bedeutung des Verbs ist. Überdies begegnet uns *psḫ* Jes 31,5, wo es nach dem Zusammenhang den Sinn »verschonen« zu haben scheint, ferner 1 Kön 18,21 und (im pi.) 18,26, wo man im allgemeinen den Sinn »hinken, umherhinken« annimmt, schließlich 2 Sam 4,4 (im nif.) mit der Bedeutung »gelähmt werden«; das dieser letzten Bedeutung entsprechende Verbaladjektiv *pissēaḫ* »lahm« findet sich 14mal in der Bibel.
Das Substantiv *pesaḫ* kommt 49mal in der hebräischen Bibel vor, davon 4mal im Plural *pᵉsāḫīm* (2 Chr 30,17; 35,7.8.9).[36] 34mal bezeichnet das Wort eindeutig den Pascharitus, 15mal das Opfertier (hierher gehören auch die erwähnten vier Pluralformen).[37] *pesaḫ* steht immer mit Artikel: »das Pesach« *(happesaḫ)*, außer in der Verbindung »Pesach für Jahwe« (*pesaḫ lᵉ*JHWH; 12mal +

[36] Alle vier Stellen dürften zum sekundären Gut der Chr gehören; zu 2 Chr 35,7-9 vgl. *K. Galling,* Die Bücher der Chronik, Esra, Nehemia, Göttingen 1954, z. St.; zu 30,17 vgl. S. 103-107.

[37] Ex 12,21 (J?); Dtn 16,2.5f; Esr 6,20; 2 Chr 30,15.17f; 35,1.6.7.8.9. 11.13. Auf den ersten Blick scheinen hierher auch Ex 12,11.43 (P) zu gehören. In 12,11 (» ihr sollt es essen in angstvoller Eile: ein Pesach ist es für Jahwe«) legt es sich nahe, die Worte »es ist ein Pesach für Jahwe« auf das Pesachtier zu beziehen, von dem vorher die Rede ist. Tatsächlich ist jedoch mit »Pesach für Jahwe« nicht das Tier, sondern der ganze vorgeschriebene Ritus gemeint. »Pesach für Jahwe« wird bei P immer vom Ritus gesagt, nie vom Tier (Ex 12,48; Lev 23,5; Num 9,10.14; 28,16). Auch Ex 12,43 »Dies ist die Satzung für das Pesach: Kein Fremder darf davon essen« ist unter Pesach der Ritus und nicht das Schlachttier verstanden. »Vom Pesach essen« *('kl bpsḫ)* bedeutet einfach »an der Pesachfeier teilnehmen« (vgl. *B. Baentsch,* Exodus-Leviticus-Numeri, Göttingen 1903, z. St.).

Ex 12,27: *zebaḥ pesaḥ l^e*JHWH); dazu kommt 2 Chr 35,18 der Vergleich »ein Pesach wie dieses« *(pesaḥ kāmōhū)*.
Zweimal wird das Pesach ausdrücklich als *ḥag* bezeichnet (Ex 12,14; 34,25b[38]). Überdies ist Ex 23,18 mit dem nicht näher bestimmten Begriff *ḥag* offensichtlich das Pesach gemeint.[39] Wir übersetzen das Wort *ḥag* gewöhnlich mit »Fest«. Sein ursprünglicher Sinn ist aber »Wallfahrt«[40], und in der Bibel bezeichnet es fast immer eines der drei großen Wallfahrtsfeste: Mazzenfest, Wochenfest und Laubhüttenfest (vgl. besonders Ex 23,15-17; 34,18-23; Dtn 16,16; 2 Chr 8,13).[41] Somit läßt die nur ausnahmsweise Anwendung des Begriffes *ḥag* auf das Pesach schon erkennen, daß dieses im seßhaften Israel zunächst nicht den Charakter eines Wallfahrtsfestes hatte.[42] Die drei eben genannten Stellen stammen erst aus der Zeit nach

---

38 Hierzu kommt noch die textkritisch unsichere Stelle Ez 45,21. Zur *ḥag*-Terminologie vgl. *N. M. Nicolsky,* Pascha im Kulte des jerusalemischen Tempels: ZAW 45 (1927) 171-190.241-253, hier 172-174. Nach Nicolsky wäre Ex 34,25 der einzige Fall, wo das Pesach ein *ḥag* genannt wird. Ex 12,14 möchte er auf das Mazzenfest beziehen, was aber kaum angeht.

39 Dieses Verständnis legt sich durch die sachliche Übereinstimmung der Vorschrift mit 34,25 nahe; vgl. S. 29-31. *N. Füglister,* Die Heilsbedeutung des Pascha, München 1963, 31f, möchte auch in Jes 30,29 *ḥag* auf das Pesach beziehen. Seine diesbezüglichen Ausführungen enthalten jedoch viel Hypothetisches, schon deshalb, weil zur Zeit des Jesaja das Pesach noch kein Wallfahrtsfest war.

40 Vgl. das entsprechende arabische *ḥadsch.*

41 Nur an 7 von den 60 Stellen, an denen *ḥag* vorkommt, hat es den allgemeinen Sinn »Fest« (Ex 10,9; 32,5; Ps 118,27; Am 5,21; 8,10; Nah 2,1; Mal 2,3 [Glosse]). Ez 45,17 (glossenhafte Erweiterung) und 46,11 (redaktionelle Bearbeitung) ist zwar allgemein von *ḥaggīm* die Rede. Ez 45,21-25 kennt indes nur zwei *ḥaggīm:* das Frühlings- und das Herbstfest. Ri 21,19 und Hos 2,13; 9,5 ist deutlich das große Herbstfest visiert. Auch Ps 81,4 kann schwerlich etwas anderes gemeint sein (vgl. *H.-J. Kraus,* Psalmen II, Neukirchen ^{3}1966, z. St.). Ebenso dürfte Jes 29,1 auf das Laubhüttenfest angespielt werden (vgl. O. *Procksch,* Jesaja I, Leipzig 1930, z. St.). Wenn auch Jes 30,29 nicht auf ein bestimmtes Fest gedeutet werden kann, so ist jedenfalls von der Wallfahrt nach Jerusalem die Rede. Unter Voraussetzung der jesajanischen Echtheit des Wortes kommt das Pesach nicht in Frage (vgl. Anm. 39).

42 Über seinen Wallfahrtscharakter in der nomadischen Vorzeit siehe Anm. 144.

der deuteronomischen Reform,[43] in der das Pesach an den Tempel gebunden und damit zu einem Wallfahrtsfest gemacht wurde.[44]
Der geläufige Ausdruck für »das Pesach feiern« (im Sinn von: den Ritus vollziehen) ist »das Pesach machen« (*ʿśh;* 25mal in Texten verschiedenster Herkunft: Ex 12,48; Num 9,2 u. ö.; Dtn 16,1; Jos 5,10; 2 Kön 23,21-23; 2 Chr 30,1 u. ö.; Esr 6,19), womit schon angedeutet ist, daß das Pesach als ein kultisches *Tun* verstanden wird. Sofern das Opfertier gemeint ist, finden wir die Wendungen: das Pesach »opfern« (*zbḥ:* Dtn 16,2.5f[45], vgl. ἐθυσίαζον: Weish 18,9), »schlachten« (*šḥṭ:* Ex 12,6.21[46]; 2 Chr 30,15; 35,1.6.11; Esr 6,20; vgl. 2 Chr 30,17), »kochen« (*bšl:* Dtn 16,7; 2 Chr 35,13[47]), »essen« (*ʾkl:* Ex 12,43f; Dtn 16,7; 2 Chr 30,18).

b) Etymologie

Die Grundbedeutung von *pesaḥ* ist nicht leicht zu bestimmen, so daß noch das bislang neueste hebräische Lexikon[48] sich auf die Feststellung beschränkt: »etymologisch noch nicht befriedigend gedeutet«. Die Schwierigkeit vergrößert sich dadurch, daß die Wurzel *psḥ* weder im Akkadischen noch im Ugaritischen belegt ist.[49] Der Versuch, auf das Syrische zurückzugreifen, wo die Wurzel *pṣḥ* »fröhlich

---

[43] Vgl. *R. de Vaux*, Les Sacrifices de l'Ancien Testament, Paris 1964, 7; zu Ex 23,18; 34,25b Näheres S. 29-31.

[44] Siehe dazu S. 75f.

[45] Erst das Dtn redet ausdrücklich vom »Opfern« des Pesach, so daß dieses an den deuteronomistischen Stellen Ex 12,27; 34,25b als *zebaḥ* (»Opfer«) bezeichnet werden kann.

[46] P vermeidet für das Pesach die Bezeichnung *zebaḥ* »und sucht den Opfercharakter vom Passah möglichst abzustreifen, weil nach seiner Theorie Opfer nur an dem erst zu stiftenden Heiligtume des Versammlungszeltes dargebracht werden dürfen« (*Baentsch* [Anm. 37] 97). Statt dessen behält die priesterliche Theologie für das Schlachten des Paschalammes das Verbum *šḥṭ* bei, dem wir erstmals in der ältesten Pesachverordnung, Ex 12,21, begegnen (zur Einordnung dieses Textes siehe S. 31f), wie P ja überhaupt in seiner Pesachanweisung ältestes Brauchtum sanktioniert.

[47] Auch vom »Kochen« des Pesach kann erst vom Dtn an die Rede sein, vgl. S. 76.

[48] *L. Koehler/W. Baumgartner,* Lexicon in Veteris Testamenti Libros, Leiden 1953, vgl. Suppl. 1958.

[49] Allerdings findet sich in Ugarit der Personenname *psḥn,* was sehr gut

sein« bedeutet,[50] erweist sich für die Klärung des ursprünglichen Sinnes von *psḥ* als unfruchtbar. Zwar gibt die Peschitta das hebräische *pesaḥ* stets mit *peṣḥā'* wieder, doch läßt sich diese abweichende Schreibung nicht durch Assimilation von *s* an *ḥ* erklären. Wir müssen vielmehr daran festhalten, daß es sich bei *psḥ* und *pṣḥ* um zwei bedeutungsverschiedene Wurzeln handelt und daß das syrische *peṣḥā'* lediglich im Sinn einer volksetymologischen Angleichung von **pesḥā'* an die Verbalwurzel *pṣḥ* »sich freuen« oder das Nomen *pṣāḥā'* »Freude« verstanden werden darf. Tatsächlich war ja das Pesach das Freudenfest par excellence, so daß sich eine solche deutende Wiedergabe im Syrischen durchaus nahelegte.[51] Im Arabischen haben wir die Wurzel *fasacha* mit der Bedeutung »ein Glied ausrenken, verrenken (ohne es zu brechen)«[52], was uns in die Nähe des hebräischen *psḥ* nif. »lahm werden« und *pisseaḥ* »lahm« bringt, aber im übrigen nicht viel weiter hilft.

Dennoch dürfte der Fall nicht so hoffnungslos sein, wie meist angenommen wird. In der hebräischen Bibel findet sich das Verb *psḥ* in der Grundform (qal) Ex 12,13.23.27; 1 Kön 18,21; Jes 31,5, in der Reflexivform (nif.) 2 Sam 4,4, in der Intensivform (pi.) 1 Kön 18,26. Das ist der magere Befund. Für die Bestimmung der Grundbedeutung der Wurzel scheiden die Ex-Stellen und Jes 31,5 aus, weil hier bereits die heilsgeschichtliche Deutung von *psḥ* voraus-

---

die Wurzel *psḥ* mit der im Ugaritischen bei Personennamen häufigen Endung *-n* sein könnte (*C. H. Gordon,* Ugaritic Textbook, Rom 1965, Glossar Nr. 2072 und Grammatik 8.58). — *B. Couroyer* hat mit seinem Vorschlag, den Namen *pesaḥ* vom ägyptischen *sḫ* »Schlag« mit dem Artikel *pꜣ* herzuleiten, kaum Gefolgschaft gefunden (L'origine égyptienne du mot »Pâque«: RB 62 [1955] 481-494). Immerhin hält *Laaf* (Anm. 28) diese Ableitung für den »besten« und »brauchbarsten« Erklärungsversuch (145-147).

50 Vgl. *W. J. Moulton* (Hastings, A Dictionary of the Bible III, Edinburgh 1900, 688); *R. Payne Smith,* Thesaurus Syriacus II, Oxford 1901, 3208.

51 Diesen Hinweis verdanke ich meinem Kollegen *W. W. Müller,* der seinerseits auf *Th. Nöldeke,* Neue Beiträge zur semitischen Sprachwissenschaft, Straßburg 1910, 37, verweist.

52 *E. W. Lane,* Arabic-English Lexicon, London 1877, 2395; vgl. *H. Wehr,* Arabisches Wörterbuch für die Schriftsprache der Gegenwart, Wiesbaden ³1958, 636.

gesetzt wird: »überspringen« und daraus abgeleitet »verschonen«. In Ex 12,13.23.27 ist das Bild des Überspringens noch deutlich greifbar: Jahwe überspringt, das heißt verschont die Häuser der Israeliten, wenn er durch das Land schreitet, um die Ägypter zu schlagen. Jes 31,5 (»wie flatternde Vögel, so wird Jahwe der Heerscharen Jerusalem beschirmen, schirmen und retten, *verschonen* und befreien«) spielt deutlich an die Paschaüberlieferung an. Doch ist das Bild des Überspringens hier schon zum abgeleiteten Sinn »verschonen« abgeblaßt.[53] Immerhin scheint auch noch für das spätere Verständnis von *psḥ* ein Sinn wie *hüpfen, überhüpfen, überspringen* mitgeschwungen zu haben.

So ist es eigentlich verwunderlich, daß sich die Lexikographie für die beiden Stellen 1 Kön 18,21.26, die unter den spärlichen biblischen Belegen für das Verb *psḥ* die ältesten sein dürften, einseitig auf die Bedeutung »hinken« versteift hat. Nach Vers 26 sollen die Baalspropheten um den Altar »gehinkt« sein, den sie gemacht hatten.[54] Nun weiß die Religionsgeschichte wohl wenig von kultischem Hinken zu berichten, jedoch sehr viel von rituellem Tanz und kultischer Ekstase. Somit legt sich für *waj^{e}fass^{e}ḥū* durchaus die (durch

---

[53] Zu Unrecht dürfte *F. Zorell*, Lexicon Hebraicum et Aramaicum Veteris Testamenti, Fasc. 6, Rom 1947, unterscheiden zwischen *psḥ*^{1} »*protexit, salvavit*«, mit Verweis auf Jes 31,5 und »probabiliter« Ex 12,13. 23.27, und *psḥ*^{2} »*claudicavit*«.

[54] *Koehler/Baumgartner*, aaO.: »(kultisch) umhinken«. *W. Gesenius/F. Buhl*, Hebräisches und aramäisches Handwörterbuch über das Alte Testament, Leipzig ^{17}1915; Neudruck Heidelberg 1962: »gew.: hinken, spöttisch für: tanzen, viell. aber direkte Bezeichnung einer kultischen Bewegung«. Nach *E. Jenni* bezeichnet *psḥ* im qal »das gewöhnliche Hinken, im Piʿel den kultischen Hinktanz« (Das hebräische Piʿel, Zürich 1968, 140). Die gängigen Übersetzungen schließen sich an: *V. Hamp/M. Stenzel* (^{18}1966): »sie machten dabei hinkende Verbeugungen auf dem Altar«; Zürcher Bibel (1955) und rev. Luther-Bibel (1964): »sie hinkten um den Altar«. (Eine entsprechende Übersetzung gibt auch die Oxford Annotated Bible [1965]: »they limped about the altar«.) Einzig bei *E. König*, Hebräisches und aramäisches Wörterbuch zum Alten Testament, Leipzig ^{5}1931, der als Grundbedeutung von *psḥ* »hüpfen« angibt, findet sich eine feinere Differenzierung. Für die qal-Form hat zwar auch er: »synekd. spezialisiert: hinken (1 K 18,21)«, für das pi. hingegen: »andauernd hüpfen, eine Springprozession aufführen (1 K 18,26 . . .)«.

LXX und Vg gestützte[55]) Übersetzung nahe: »und sie hüpften um den Altar«[56]. Wenn wir nachher (Vss. 28f) hören, die Baalspropheten seien in Raserei geraten, dann brauchen wir uns nicht darüber zu wundern, daß in diesem Zusammenhang das Verb *psḥ* in der Intensivform (pi.) steht.

Dann steht aber nichts im Weg, auch in Vers 21 für *psḥ* die Bedeutung »hüpfen« anzunehmen. Diese gibt ja auch einen viel besseren Sinn als das geläufige »hinken«[57]. Was soll das schon heißen: »Wie lange wollt ihr auf beiden Seiten hinken?«[58] Das wäre doch gewiß kein einleuchtendes Bild. Es geht ja darum, daß das Volk Jahwe haben und Baal nicht lassen will; darum die Herausforderung des Elia: »Ist Jahwe Gott, so folget ihm; ist es Baal, so folget ihm!« Kann man das ein Hinken nennen? Ist es nicht vielmehr ein fröhliches und sorgloses Hin und Her zwischen Jahwe und Baal? Die Wiedergabe von *psḥ* mit »hüpfen« ergibt somit einen ausgezeichneten Sinn: »Wie lange wollt ihr auf beiden Zweigen hüpfen?«[59]

---

55 LXX: καὶ διέτρεχον ἐπὶ τοῦ θυσιαστηρίου; Vg: *transiliebantque altare.*

56 So *M. Buber* (1955): »sie hüpften um die Schlachtstatt«. Herder (1965): »dabei hüpften sie um den Altar herum«; so auch wieder in der sog. Jerusalemer Bibel (1968). Vgl. dazu *König* (Anm. 54). In dieser Richtung äußert sich auch *J. Pedersen,* Passahfest und Passahlegende: ZAW 52 (1934) 161-175, hier 167: »Durch die Wurzel *psḥ* bezeichnet man hüpfende Körperbewegungen, die auch im kanaʿanäischen Kultus üblich waren (I Reg 18,21.26)«. — Die Bible de Jérusalem (*de Vaux,* ²1958) hat: »ils dansaient en pliant le genou devant l'autel«. *N. H. Tur-Sinai* (1954ff) übersetzt noch neutraler: »sie gingen um den Altar herum« und nähert sich damit in etwa der Annahme von *Segal,* Passover (Anm. 95), nach dem die Grundbedeutung von *psḥ* »hinübergehen« sein soll (vgl. Anm. 132).

57 *Koehler/Baumgartner,* aaO.: »lahmen, hinken«. *Gesenius/Buhl,* aaO.: »lahm sein, hinken«. Zu *König* vgl. Anm. 54.

58 So oder ähnlich Zürcher Bibel, rev. Luther-Bibel, Herder bzw. Jerusalemer Bibel. *Hamp/Stenzel:* »Wie lange noch wollt ihr auf zwei Krücken hinken?« So auch Bible de Jérusalem: »Jusqu'à quand clocherez-vous des deux jarrets?« Die Oxford Bible hat: »How long will you go limping with two different opinions?« und *Tur-Sinai:* »Wie lange noch geht ihr an beiden Seiten vorbei?«

59 So unter den deutschen Übersetzungen einzig *Buber:* »Bis wann noch wollt ihr auf den zwei Ästen hüpfen?!« Es besteht kein Grund, für

Mit seinem Hin und Her zwischen Jahwe und Baal gleicht das Volk einem Vogel, der fröhlich zwischen zwei Zweigen hin- und herhüpft.[60]

Dieser ursprüngliche Sinn des Wortes konnte von der israelitischen Paschatheologie aufgegriffen werden. Offenbar wurde das Verb »hüpfen« nicht nur intransitiv, sondern auch transitiv gebraucht, also im Sinn von »überhüpfen, überspringen« (vgl. das franz. *sauter*). Jahwe »überspringt« die Häuser der Israeliten (Ex 12,13.23. 27). So kam man dazu, dem Wort die Bedeutung »vorbeigehen, schonend vorbeigehen, verschonen« zu geben (vgl. Jes 31,5), so daß die Vulgata das hebräische *pesaḥ* mit *transitus* wiedergibt (Ex 12,11: *est enim Phase, id est transitus Domini*). Ursprünglich muß das Wort einen kultischen Ritus oder Tanz bezeichnet haben, nach dem das ganze Fest benannt wurde.

2. Griechische Bibel, Josephus Flavius, Philo

Die aramäische Entsprechung des hebräischen *pesaḥ* (Grundform *pasḥ*) ist *pasḥā'*.[61] Diese Form (πάσχα) wird schon von der Septuaginta für die Wiedergabe des hebräischen *pesaḥ* bevorzugt.[62] Einzig

---

s^e'ippīm von der Bedeutung »Zweige« abzugehen. Der Vorschlag »Krücken« (*Koehler/Baumgartner,* aaO.) dürfte vom angenommenen Sinn »hinken« für *psḥ* beeinflußt sein.

60 Die Übersetzung von *psḥ* mit »hinken« ist vom Verbaladjektiv im pi. *pisseāḥ* »lahm« sowie vom nif. *jippaseāḥ* 2 Sam 4,4 »gelähmt werden« hergeleitet. Es ist jedoch eine im Bibelhebräischen durchaus bekannte Erscheinung, daß von ein und derselben Grundform sowohl ein Intensiv- wie ein Privativpi'el gebildet wird. *W. Gesenius/E. Kautzsch,* Hebräische Grammatik, Leipzig ²⁸1909, 52h nennt als Beispiel *sikkēl,* das sowohl »steinigen« wie »entsteinen« bedeuten kann. So mag auch *psḥ* im pi. sowohl »intensiv hüpfen« wie das Gegenteil »lahm sein« bedeuten. Das nif. *jippaseāḥ* 2 Sam 4,4 wäre das Passiv dieses pi. (vgl. *Gesenius/Kautzsch,* 51f).

61 Der diesem status emphaticus entsprechende status absolutus lautet *p^esaḥ.* Die im Jerusalemer Talmud, in den Targumim und Midraschim bezeugte aramäische Form *pisḥā'* statt *pasḥā'* erklärt sich dadurch, daß sich im Aramäischen, besonders bei den Segolatnomina, *a* leicht zu *i* verdünnt, wie ja auch im klassischen und modernen Arabisch (vgl. *E. Kautzsch,* Grammatik des Biblisch-Aramäischen, Leipzig 1884, 35).

62 43mal.

Jer 38,8[63] und an allen Stellen von 2 Chr finden wir die Transkription φασέκ oder φασέχ.[64] Die Wiedergabe des hebräischen *p* durch φ ist Ausnahme von der Regel bei Josephus Flavius[65] und Philo[66]. Bei den jüdischen Bibelübersetzungen hingegen ist in den Partien, die aus Aquila und Symmachus erhalten sind, fast nur diese Transkription bezeugt,[67] während Theodotion immer πάσχα schreibt.[68] Die wechselnde Schreibung π und φ in den griechischen Dokumenten ist darauf zurückzuführen, daß das griechische φ bis ins 3. oder 4. Jahrhundert n. Chr. nicht als Reibelaut (*f*), sondern als behauchter Verschlußlaut (*p-h*) ausgesprochen wurde.[69]

Im *Neuen Testament* wird das Wort durchgehend πάσχα geschrieben.[70] Es findet sich hier insgesamt 29mal, und zwar kann es, wie im Alten Testament, sowohl das Fest bedeuten (Mk 14,1; Mt 26,2; Lk 2,41; 22,1; Joh 2,13.23; 6,4; 11,55 [2mal]; 12,1; 13,1; 18,39;

---

63 MT 31,8. Der LXX-Übersetzer fand in seiner Vorlage statt *bām ʿiwwer ūfisseāḥ* des MT die Lesung *b^emōʿēd pesaḥ* (ἐν ἑορτῇ φασεκ).

64 Insgesamt 19mal (2 Chr 35,19 fehlt das Wort in der LXX). Zur abweichenden Transkription von Chr gegenüber den übrigen Büchern der LXX vgl. *G. Gerleman*, Studies in the Septuagint II, Lund 1946, 6.

65 Ant. 5,20; 9,271; 14,25; 17,213: φάσκα.

66 Leg. All. 3,94: φασέκ, neben πάσχα im gleichen Abschnitt.

67 Aquila: Jos 5,10 φασέκ; Dtn 16,1 φεσέ; Symmachus: Ex 12,11 φασέχ; Ex 12,27; Num 9,2; Jos 5,10 φασέχ, während (nach *F. Field*, Origenis Hexaplorum quae supersunt I, Oxford 1875) Jos 5,11 alle griech. Übersetzungen πάσχα haben.

68 Die Angabe von *J. Jeremias*, πάσχα, in: ThW V, 895f, daß LXX, Philo, NT, Aquila, Symmachus, Theodotion »durchweg πάσχα schreiben«, ist somit irrig.

69 Vgl. *Th. Mommsen*, Die Wiedergabe des griechischen φ in lateinischer Schrift (Hermes 14, 1879, 65-76 = Ges. Schr. VII, 792-803); *E. Schwyzer*, Griechische Grammatik I, München ²1953, 204-207: bis mindestens ins 3. Jh. n. Chr.; *P. Kahle*, Die Kairoer Genisa, Berlin 1962, 189-195: »sehr oft . . . weichen die einzelnen Bücher in ein und derselben Septuaginta-Handschrift hinsichtlich der Art der Umschreibung voneinander ab« (191f). Für die Zeit um 400 n. Chr. haben wir das Zeugnis des *Hieronymus:* »Notandum autem, quod P litteram Hebraeus sermo non habeat, sed pro ipsa utatur PHE, cujus vim Graecum φ sonat« (Comm. in Dan., PL 25, 575).

70 Die in deutschen Texten verbreitete Wiedergabe »Passa(h)« ist somit abzulehnen.

19,14; Apg 12,4) wie das Opfertier (Mk 14,12 [2mal]. 14; Mt 26, 17; Lk 22,7.8.11.15; Joh 18,28; 1 Kor 5,7) wie den Ritus (Mk 14,16; Mt 26,18f; Lk 22,13; Hebr 11,28). Auch in der Verwendung der mit πάσχα verbundenen Verben wird der alttestamentliche Sprachgebrauch weitergeführt. Im Neuen Testament ist die Rede von: das Pascha »machen« (ποιεῖν: Mt 26,18; Hebr 11,28), »schlachten« (θύειν: Mk 14,12; Lk 22,7; 1 Kor 5,7), »bereiten« (ἑτοιμάζειν: Mk 14,16; Mt 26,19; Lk 22,8f.13), »essen« (φαγεῖν: Mk 14,12.14; Mt 26,17; Lk 22,8.11.15; Joh 18,28). An einer Stelle (Mt 26,17) findet sich sogar die Verbindung »zum essen bereiten« (ἑτοιμάζειν φαγεῖν).

Wie wir sehen werden, war das Fest zur Zeit Jesu ein Doppelfest, das aus dem eigentlichen Paschafest und dem Fest der ungesäuerten Brote, dem Mazzenfest, bestand. In der Sprache des Neuen Testaments umschließt der Begriff Pascha beide Feste. Nur an einer einzigen Stelle (Mk 14,1) werden sie deutlich auseinandergehalten: »Es war aber zwei Tage später Pascha und das Fest der ungesäuerten Brote«.

II. Quellen

1. Biblische Quellen

a) Gesetzliche Texte zum Pesach

Gesetzesbestimmungen über das Pesach finden sich in allen Gesetzeswerken des Alten Testaments: Bundesbuch, »kultischer Dekalog«, Jahwist, deuteronomisches Gesetz, Priesterschrift, Heiligkeitsgesetz, Verfassungsentwurf des Ezechiel. Obwohl über die zeitliche Ansetzung dieser Werke im großen ganzen Übereinstimmung herrscht, ist es nicht ganz leicht, die entsprechenden Pesachtexte chronologisch zu ordnen. Es legt sich nahe, mit

Ex 23,18 und 34,25

zu beginnen. Die erste Stelle gehört dem Komplex des Bundesbuches an, die zweite dem sogenannten kultischen Dekalog.[71] Zwar ist Ex 23,18 das Pesach nicht genannt; indes berechtigt uns die Analogie mit 34,25, die Vorschrift auf das Pesach zu beziehen. Gilt aber auch das Bundesbuch unbestritten als die älteste israelitische Gesetzessammlung, so dürfte doch die Kultgesetzgebung 23,14-19 späterer Herkunft sein. Sie ist als Nachtrag eines Redaktors anzusehen, der, unter leichter Änderung des Vokabulars, das Bundesbuch durch die zum alten Kultgesetz gehörenden Bestimmungen von Ex 34,18-26 ergänzen wollte, wobei er jedoch das überging, wovon im Bundesbuch schon früher die Rede war.[72]

Indes hat es in Ex 34 gerade mit Vers 25 seine besondere Bewandtnis. Die Bestimmung lautet in der überlieferten Fassung: »Du sollst das Blut meines Schlachtopfers nicht zusammen mit Gesäuertem schlachten, und das Schlachtopfer des Pesachfestes soll nicht bis zum Morgen übrigbleiben.« Ursprünglich kann in Vers a mit »Schlachtopfer« *(zebaḥ)* schwerlich dasselbe gemeint sein

---

[71] Die Sachgemäßheit dieses Terminus wird — sicher nicht zu Unrecht — in Frage gestellt. Er wird hier aus rein technischen Gründen verwendet. Besser würde wohl vom jahwistischen Bundesbuch gesprochen.

[72] Vgl. *H. Cazelles,* Études sur le Code de l'Alliance, Paris 1946, 97-102. Dagegen neigt *M. Noth,* Das zweite Buch Mose, Göttingen ^{3}1965, 216-218, eher zu einer Priorität von Ex 23,14-19.

wie in Vers b, nämlich das Pesachopfer, weil wir dann die Spezifizierung »Schlachtopfer des Pesachfestes« schon in Vers a erwarten müßten. Es legt sich somit die Folgerung nahe, daß Vers b ein späterer Zusatz zu Vers a sein muß. In Vers a haben wir die Kodifizierung eines alten Herkommens vor uns, das den Gebrauch von Gesäuertem in Verbindung mit dem Schlachtopfer verbot, wofür die gleichen Überlegungen maßgebend gewesen sein dürften wie beim Pesach.[73] Im Gefolge der deuteronomischen Reform vermißte ein Bearbeiter bei der Aufzählung der Wallfahrtsfeste (*ḥaggīm*) das Pesachfest, das durch eben diese Reform zum Wallfahrtsfest geworden war.[74] Die Stichwörter *ḥāmēṣ* (»Gesäuertes«) und *zebaḥ* (»Schlachtopfer«) in Ex 34,25a veranlaßten ihn zum Rückgriff auf die Pesachvorschrift von Dtn 16,3 (»du sollst dazu [= zum Schlachtopferpesach; vgl. Vs. 2: *zābaḥtā pesaḥ*] kein *ḥāmēṣ* essen«), so daß er die Bestimmung von Dtn 16,4b (»es soll von dem Fleisch [des Pesachopfers], das du am ersten Tag abends opferst, nichts über Nacht bleiben bis zum Morgen«) an Ex 34,25a anschloß: »Das Opfer des Pesachfestes soll nicht über Nacht bleiben bis zum Morgen.«[75]

Wenn dem so ist, dann ist auch anzunehmen, daß Ex 34,25b eingefügt wurde, als Dtn 16,4b noch unmittelbar an 16,3a anschloß. Denn in Dtn 16,1-8 erweisen sich die Verse 3aβb.4a.8 als späterer Zusatz, der die Absicht verfolgt, das vom Dtn abgelehnte Mazzenfest doch wieder in seine alten Rechte einzusetzen.[76] Die

---

[73] Vgl. *Philo,* De spec. leg. II, 159: »die ungesäuerte Kost ist eine Gabe der Natur (δώρημα φύσεως), die gesäuerte ist ein Kunsterzeugnis (τέχνης ἔργον; siehe den vollen Text S. 40).

[74] Vgl. S. 73-83.

[75] Der Ausdruck »über Nacht bleiben« (*līn*), der sich unter allen Pesachgesetzen nur Dtn 16,4 findet, verrät unabweisbar die Abhängigkeit von Ex 34,25b und 23,18 von Dtn 16,4. *Laaf* (Anm. 28) 49-53 hat sicher darin recht, daß Ex 34,25 erst durch den Einfluß des Dtn eine Beziehung zum Pesachfest erhielt. Dieser deuteronomischen Überarbeitung ist jedoch, wie oben gezeigt, der ganze Vs. 25b zuzuschreiben und nicht nur, wie Laaf aufgrund von 23,18 annimmt, die Änderung eines ursprünglichen *zebaḥ ḥaggī* in *zebaḥ ḥag happesaḥ.*

[76] Vgl. dazu S. 78-81 und *G. von Rad,* Das fünfte Buch Mose, Göttingen 1964, 80. Von Rad rechnet wohl zu Unrecht den ganzen Vs. 4 zum Zusatz.

Übernahme von Dtn 16,4b nach Ex 34,25 erfolgte somit zwischen der Kodifizierung der deuteronomischen Pesachordnung und ihrer Erweiterung durch die Verse 16,3aβb.4a.8.

In einer noch späteren Phase wurde Ex 34,25 durch den Bearbeiter übernommen, der Ex 23,14-19 an das Bundesbuch anfügte.[77] Er fand 34,25a und 25b bereits vereinigt vor, und durch die ausdrückliche Erwähnung des *ḥag happesaḥ* in 25b sah er sich veranlaßt, die ganze Bestimmung 34,25 auf das Pesach zu beziehen. Deshalb ersetzte er, getreu der deuteronomischen Pesachtheologie und -praxis, das Verbum *šḥṭ* durch *zbḥ*. Er unterdrückte das nachhinkende, aus der nachträglichen Hinzufügung resultierende *happesaḥ* von 34,25b. Auch fand er dort die Wiederholung des Wortes *zebaḥ* störend. So beschränkte er sich auf die Bezeichnung *ḥaggī* und brachte durch den Parallelismus mit *zibḥī* die beiden disparaten Vershälften ins Gleichgewicht. Die besondere Erwähnung des Fetts (*ḥēleb*) ist ebenfalls ein Niederschlag der deuteronomischen Pesachvorstellung.

Die beiden Texte Ex 23,18 und 34,25b gehören somit eindeutig in den Bereich der deuteronomischen Pesachform, die uns später eingehend beschäftigen wird.[78]

Nach dem Ausscheiden der Bundesbuch- und Kultdekalogstellen hat

Ex 12,21-27

alle Chancen, die älteste uns aufbewahrte Pesachvorschrift zu sein. Allerdings bleibt auch ihre literarische und zeitliche Einordnung nicht ohne Schwierigkeit. Gern sieht man darin die jahwistische Parallele zur priesterlichen Pesachverordnung 12,1-14.[79]

---

77 Auch in der die drei Wallfahrtsfeste zusammenfassenden Vorschrift Ex 23,17; 34,23 »dreimal im Jahr sollen alle deine Männer vor dem Herrn Jahwe erscheinen« deutet die Form *'el pᵉnē* (23,17) gegen *'et pᵉnē* (34,23) auf die jüngere Herkunft von 23,17 hin (*Baentsch* [Anm. 37] zu 23,17).

78 Siehe S. 73ff. Ex 34,25b kann somit nicht als Bestätigung dafür dienen, daß das Pesach »nach der Landnahme in Palästina noch kurze Zeit begangen worden sein dürfte« (*G. Fohrer*, Überlieferung und Geschichte des Exodus, Berlin 1964, 93).

79 So zuletzt *Noth* (Anm. 72) 76: »Mit 12,21 setzt die J-Erzählung wieder ein«; *G. te Stroete*, Exodus, Roermond/Maaseik 1966.

Indes wird von verschiedenen Kommentatoren mit Recht vermerkt, daß dies nur von den Versen 21-23.27b gelten kann, wogegen sich die Verse 24-27a als deuteronomistischer Nachtrag erweisen.[80] Aber auch die Verse 21-23 lassen sich nicht reibungslos in das jahwistische Werk einordnen. Während deshalb manche Ausleger an eine Sonderquelle des Jahwisten denken,[81] sprechen andere den Passus dem Jahwisten schlechthin ab.[82] G. Fohrer weist ihn der von ihm angenommenen Nomadenquelle zu.[83] Dies ist sicher insofern richtig, als darin ein Ritus beschrieben wird, der in die Nomadenzeit Israels zurückreicht, eine Tatsache, die uns zu beschäftigen haben wird. Jedenfalls wird, wie immer die Quellenzuweisung entschieden werden mag, Ex 12,21-23 als die älteste uns überlieferte Pesachanweisung anzusehen sein.

Auf relativ sicherem zeitlichem Boden stehen wir mit dem deuteronomischen Pesachgesetz

Dtn 16,1-8,

auch wenn es, wie schon angedeutet wurde und weiter zu zeigen sein wird, in seiner jetzigen Gestalt mindestens zwei Phasen literarischer Komposition hinter sich hat.[84] Dieses für die Geschichte des Pesachfestes einschneidende Dokument fesselt unser Interesse nicht zuletzt dadurch, daß hier zum ersten Mal der Versuch unternommen wird, Pesach und Mazzenfest miteinander zu verschmelzen.

Die priesterliche Pesachanordnung

Ex 12,1-14,

mit den Zusatzbestimmungen *Ex 12,43-49* und *Num 9,1-14,*

ist der Redaktion nach das jüngste aller Gesetze über das Pesachritual, greift aber, wie die Priesterschrift überhaupt, weithin auf sehr alte Überlieferungen zurück. Sie hat die Neuerungen des

---

[80] *Baentsch* (Anm. 37); *A. Clamer,* Exode, Paris 1956; *Noth,* aaO.; *Fohrer,* aaO. 86. *Füglister* (Anm. 39) 29.137 weist auch diese Verse dem Jahwisten zu, allerdings unter Annahme einer deuteronomistischen Überarbeitung (26).

[81] So *Baentsch,* ebd.

[82] *Clamer,* aaO.; *B. Couroyer,* L'Exode, Paris ^{3}1968.

[83] (Anm. 78) 82f.

[84] Vgl. S. 30f und 78-82.

deuteronomischen Pesachgesetzes zugunsten alten, ja nomadischen Brauchtums teilweise rückgängig gemacht. Dennoch für eine nachexilische Gemeinde erlassen, ist sie das fundamentale Ritual für die Pesachfeier des zweiten Tempels geworden. So schlägt dieser Text einen mächtigen Bogen vom ältesten Nomadenpesach bis hin zum christlichen Pascha und darf daher mit Recht für sich beanspruchen, für eine Geschichte und Theologie des Paschafestes die gewichtigste Quelle zu sein.

Auf eine bloße Datierung der Pesachfeier bezieht sich die Angabe in dem wohl aus exilischer Zeit stammenden[85] Festkalender des Heiligkeitsgesetzes,
Lev 23,5,
und in dem davon abhängigen und somit noch jüngeren Opferkalender Num 28,1-30,1,
Num 28,16.

Ähnliches gilt von der Pesachverordnung im Verfassungsentwurf des Ezechiel,
Ez 45,21-24,
die, abgesehen von der Datierung des Festes, nur Anweisungen über die kultischen Verpflichtungen des »Fürsten« während der Woche der ungesäuerten Brote enthält.

b) Geschichtliche Texte zum Pesach

Wer sich von der Entwicklung des Pesachfestes in biblischer Zeit ein Bild machen will, hat neben den einschlägigen Gesetzesbestimmungen auch die Berichte zu beachten, die die Feier des Pesach bei bestimmten historischen Anlässen schildern. Merkwürdigerweise hören wir nichts über das Pesach, das die Israeliten am Vorabend ihres Auszuges aus Ägypten begangen haben sollen. Dieses wird nicht beschrieben, sondern als Hintergrund der in Ägypten lokalisierten Pesachgesetzgebung lediglich vorausgesetzt.[86] Nach Num 9,5 hätten die Israeliten das nächste Pesach ein Jahr später,

---

[85] Vgl. *K. Elliger,* Leviticus, Tübingen 1966, 302.
[86] Vgl. S. 43f.

am 14. 1. des zweiten Jahres ihres Auszugs aus Ägypten, gehalten. Aber auch diese Erwähnung verfolgt offensichtlich nur den Zweck, den Nachtrag zum Pesachgesetz Verse 6-14 einzuführen. Dann hören wir während der ganzen angeblich vierzigjährigen (Num 14,33; Dtn 2,14) Wüstenwanderung nichts mehr von einer Pesachfeier.

Erstmals wird

Jos 5,10f

ein Pesach erwähnt, das die landnehmenden Israeliten unmittelbar nach der Überquerung des Jordans bei Gilgal in den Steppen von Jericho veranstalteten. Die vorliegende Redaktion des Textes ist sicher jung. Es fragt sich allerdings, ob er sich global der Priesterschrift zuweisen läßt.[87] Eher wird man an eine priesterliche Retuschierung einer älteren Vorlage zu denken haben.[88] Die Erwähnung des Pesach kann indes, wie unten zu zeigen sein wird,[89] kaum dieser älteren Vorlage angehört haben.

Nachdem Jos 5,10-12 nicht als historisch brauchbare Quelle dienen kann, ist die Notiz

2 Kön 23,21-23,

wonach König Josia (639-609 v. Chr.) im 18. Jahr seiner Regierung (622) in Jerusalem ein großes Pesach veranstaltete, die erste geschichtliche Urkunde über eine Pesachfeier, sowohl was das Alter des Ereignisses wie das Alter der Quelle betrifft.

Diese summarische Notiz hat in

2 Chr 35,1-19

durch den Chronisten (ca. 300 v. Chr.) eine freie Ausgestaltung erfahren.[90]

---

87 Vgl. *G. von Rad,* Die Priesterschrift im Hexateuch, Stuttgart 1934, 145-147, der die Unausgeglichenheit von Jos 5,10-12 durch die Verschmelzung der beiden von ihm angenommenen Rezensionen von P erklärt.

88 So z. B. *M. Noth,* Josua, Tübingen [2]1953, 39.

89 Siehe S. 67-71.

90 Vgl. S. 99-102.

Ein späterer Bearbeiter hat in
2 Chr 30,1-27
mit einem Bericht über ein von König Hiskia (725-697 v. Chr.) in Jerusalem veranstaltetes Mazzenfest einen solchen über ein Pesach kombiniert.[91]

Eine dritte Pesachfeier erwähnt das chronistische Geschichtswerk anläßlich der Einweihung des zweiten Tempels durch die nachexilische Gemeinde (516 v. Chr.) in
Esr 6,19-22[92].

Zu diesen Mitteilungen über israelitisch-jüdische Pesachfeiern kommen die neutestamentlichen Berichte
1 Kor 11,23-25, *Mk 14,17-25*, *Mt 26,20-29* und *Lk 22,14-23*,
die das letzte Mahl Jesu auf dem Hintergrund des Paschafestes darstellen.

c) Texte zum Mazzenfest

In einer unten näher zu bestimmenden Zeit wurde das Pesachfest mit dem Fest der *Ungesäuerten Brote* oder *Mazzenfest* (von hebr. *maṣṣōt* = ungesäuerte Brote) zu einem Doppelfest verschmolzen. Aus diesem Grund finden sich die Vorschriften über das Mazzenfest meist mit den Bestimmungen über das Pesach verwoben. Daneben sind jedoch Texte erhalten, die das Mazzenfest als selbständiges Fest behandeln: Ex 34,18 und davon abhängig Ex 23,15[93]; Dtn 16,16; Ex 13,3-10 (vom deuteronomistischen Redaktor überarbeitetes altes Ritual); 12,15-20 (P); Lev 23,6-8 (H); Num 28,17-25 (jüngste P-Schicht), sowie, im Bereich der historischen Texte, 2 Chr 8,13.

2. Außerbiblische Quellen

a) Elephantine

Die älteste außerbiblische Erwähnung des Pesachfestes und zugleich die erste Bezeugung der aramäischen Form *pasḥāʾ* hat sich in den

[91] Vgl. S. 103-107.
[92] Vgl. S. 98f.
[93] Vgl. S. 29.

aramäischen Papyri und Ostraka aus dem 5. Jahrhundert v. Chr. gefunden, die uns die jüdische Militärkolonie auf der Nilinsel Elephantine (gegenüber dem heutigen *aswān* beim ersten Nilkatarakt) hinterlassen hat.[94] Es handelt sich zunächst um zwei Ostraka (d. h. beschriftete Tonscherben), von denen das ältere[95] um 500 v. Chr., das jüngere[96] in die erste Hälfte des 5. Jahrhunderts datiert wird und die eindeutig das Wort *psḥ'* tragen. Vor allem aber wird uns unten[97] der berühmte sogenannte Osterpapyrus aus dem Jahr 419 v. Chr. beschäftigen.

b) Jubiläenbuch, Qumranschriften, Ezechiel der Tragiker

Die Pesachverordnung, der das 49. Kapitel des Jubiläenbuches[98] gewidmet ist, führt uns die in jüdischen Kreisen essenischer Prägung

---

[94] Zu Elephantine vgl. *H. Haag* (Anm. 270).

[95] Originalveröffentlichung: *A. H. Sayce,* An Aramaic Ostrakon from Elephantine, in: Proceedings of the Society of Biblical Archaeology 33, 1911, 183f, aufgenommen als Nr. 1793 in: Répertoire d'épigraphie sémitique III, Paris 1916/18. Zur Diskussion siehe vor allem *A. Vincent,* La religion des Judéo-Araméens d'Éléphantine, Paris 1937, 267-269. *A. Dupont-Sommer,* Sur la fête de la Pâque dans les documents araméens d'Éléphantine: Rev. Ét. Juives NS 7 (1946/47) 39-51; mit Lit. *J. B. Segal,* The Hebrew Passover from the Earliest Times to A.D. 70, London 1963, 8.

[96] Originalveröffentlichung: *M. Lidzbarski,* Ephemeris für semitische Epigraphik II, Gießen 1908, Nachdruck Hildesheim 1962, 229-233, aufgenommen als Nr. 1792 in: Répertoire ... (vgl. Anm. 95) und Nr. 77/2 (S. 237) in: *E. Sachau,* Aramäische Papyrus und Ostraka aus einer jüdischen Militär-Kolonie zu Elephantine, Leipzig 1911. Zur Diskussion siehe vor allem *Vincent,* aaO. 265-267, und *Segal,* aaO.

[97] S. 92-97.

[98] Das Buch der Jubiläen ist eine um 100 v. Chr. entstandene jüdische Schrift. In Anlehnung an Gen 1 — Ex 12 erzählt es die Geschichte von der Schöpfung bis zum Auftreten des Mose. Seinen Namen hat es daher, daß es diese Geschichte in »Jubiläen«, d. h. Jobel-Perioden (vgl. Lev 25) von je 49 Jahren einteilt. Jedes »Jubiläum« zerfällt somit in sieben Jahrwochen, das einzelne Jahr zählt 364 Tage. Die Schrift ist vollständig in äthiopischer und fragmentarisch in lateinischer Übersetzung erhalten. Vom hebräischen Grundtext haben sich in Qumran bis jetzt Fragmente von elf verschiedenen Hss. gefunden (vgl. zuletzt *R. Deichgräber,* Fragmente einer Jubiläen-Handschrift aus Höhle 3 von Qumran: RQ 5 [1964/66] 415-422; *M. Baillet,* ebd. 423-433). Zu

um das Jahr 100 v. Chr. herrschenden Vorstellungen und Praktiken vor Augen. Wieweit wir daraus auf die Pesachbräuche des damaligen offiziellen Judentums schließen dürfen, ist allerdings nicht leicht auszumachen.[99]

Da das Jubiläenbuch und die *Gemeinde von Qumran* derselben geistigen Welt angehören,[100] dürfte dieses auch Licht auf den Pesachkult von Qumran werfen. Leider besitzen wir über diesen keine direkten Mitteilungen. Was wir aus einem einzigen Text aus der vierten Höhle wissen, ist lediglich, daß in Qumran Pesach gefeiert wurde, und zwar nach einem eigenen Kalender.[101]

In die nächste zeitliche Nähe des Jubiläenbuches führt uns auch der ins 2./1. vorchristliche Jahrhundert zu datierende jüdische *Tragödiendichter Ezechiel.*[102] Von seinen in jambischen Trimetern abgefaßten Tragödien haben sich nur größere Bruchstücke eines Mose-Dramas erhalten. Darin legt er, in engem Anschluß an die biblischen Texte, Gott eine doppelte Pesachanweisung an Mose in den Mund:

»Im Monat, der zuerst im Jahre euch erscheint,
will ich das Volk zu einem andern Lande führen,
das ich den Vätern des Hebräerstamms verheißen.
Dem ganzen Volke sollst du dies verkünden:
In des genannten Monats Mitte, in der Nacht zuvor,
sollt ihr das Passah eurem Gotte opfern!
Besprengt mit Blut die Türen,
auf daß der fürchterliche Engel wohl vorübergehe!

---

den Einleitungsfragen zum Jubiläenbuch vgl. O. *Eißfeldt,* Einleitung in das Alte Testament, Tübingen ³1964, 821-824 (daselbst Ausgaben, Übersetzungen, Literatur). Deutsche Übersetzungen: *E. Littmann,* in: E. Kautzsch, Die Apokryphen und Pseudepigraphen des Alten Testaments II, Tübingen 1900, Nachdruck Hildesheim 1962, 31-119; *P. Riessler,* Altjüdisches Schrifttum außerhalb der Bibel, Augsburg 1928, Nachdruck Darmstadt 1966, 539-666.1304-1311.

[99] So schreibt Jub vor, das Pesach müsse im Tempel gegessen werden, was zumindest in der Zeit Jesu mit Sicherheit nicht so gehalten wurde.

[100] Vgl. Anm. 98 und *Eißfeldt,* aaO. 823.

[101] Vgl. S. 118-120.

[102] Vgl. *P. Dalbert,* Die Theologie der hellenistisch-jüdischen Missionsliteratur, Hamburg 1954, 52-65; *Segal* (Anm. 95) 23-25.

Ihr aber sollt in jener Nacht gebraten Fleisch verzehren.
Da wird der König schnell das ganze Volk entlassen.
...
Wenn aber ihr das eigene Land betretet,
von jenem Tag an, wo ihr aus Ägypten flohet,
nach einem Marsch von sieben Tagen,
sollt ihr die gleiche Zahl von Tagen jedes Jahr
nur Ungesäuertes in Gottes Dienst verzehren!
...
An dieses Monats zehntem Tag empfange du
nach der hebräischen Familien Zahl die Schafe,
sowie des Stiers untadlig reine Jungen!
Bewahre sie, bis nach dem zehnten Tag der vierte kommt!
Am Abend opfert das Gebratne ganz mitsamt den Eingeweiden!
So sollt ihr es verzehren,
wohlumgürtet, die Schuhe an den Fuß gebunden
und in der Hand den Wanderstab!
Der König läßt in Eile nämlich alle aus dem Land verweisen.
Es wird ein jeder aufgerufen werden.
Wenn ihr dann opfert,
müßt ihr in Händen einen Ysopbüschel halten.
Taucht ihn ins Blut, besprenget beide Pfosten,
damit der Tod an den Hebräern wohl vorübergehe!
Und feiert dieses Fest dem Herrn beständig,
der ungesäuerten Brote sieben Tage,
wo nichts Gesäuertes genossen wird!
Denn die Erlösung von den Übeln ist jetzt da.
Und Gott verleiht in diesem Monat freien Auszug.
Drum ist er auch der Monate und Zeiten Anbeginn.«[103]

Dabei dürfen in den erzählenden Partien Abweichungen von der biblischen Vorlage durchaus der Freiheit des Dichters zugeschrieben werden. Hingegen ist bemerkenswert, daß im Sinn des deuteronomischen Pesachgesetzes (Dtn 16,2) auch Rinder als Opfertiere zu-

103 Vss. 153-161.167-171.175-192. Deutscher Text in: *Riessler* (Anm. 98) 337-345.

gelassen sind und daß ausdrücklich vom »Opfern« des Pesach die Rede ist.[104]

c) Philo von Alexandrien und Josephus Flavius

Philo von Alexandrien (ca. 13 v. Chr. - 45/50 n. Chr.) war ein Zeitgenosse Jesu. In seinen Werken erwähnt er das Pesach verschiedentlich. Ausführlich spricht er darüber in seiner Schrift »Über die Einzelgesetze« (De specialibus legibus) II,145-161. Die entscheidenden Stellen des Abschnitts lauten:

> »Auf den Neumondstag folgt als viertes Fest das der Überschreitung[105] — *Pascha* nennen es die Hebräer in der Sprache ihrer Väter —, an welchem das ganze Volk vom Mittag bis zum Anbruch der Nacht viele tausend Opfertiere schlachtet, und zwar die ganze Gemeinde, jung und alt; denn für diesen Tag ist ihnen allen Priesterrang verliehen. Während nämlich sonst die Priester die Gemeinde- und Privatopfer nach der Vorschrift des Gesetzes darbringen, ist bei dieser Gelegenheit dem ganzen Volke volle Befugnis eingeräumt worden, mit reinen Händen Opferdienst und Priesteramt zu versehen. Der Grund . . . ist folgender: Das Fest ist der dankbaren Erinnerung an die größte Auswanderung gewidmet, (den Auszug) aus Ägypten, den mehr als zwei Millionen Menschen beiderlei Geschlechts gemäß dem an sie ergangenen Gottesworte antraten. Damals nun, als sie ein Land voll Menschenhaß und Ungastlichkeit verließen, . . . brachten sie, wie begreiflich, im Überschwang der Freude selbst ihre Opfer dar, ohne in ihrem unsagbaren Eifer und Wunsch nach möglichster Beschleunigung erst auf die Priester zu warten. Und wie sie es damals dem Drang und Trieb des Herzens folgend taten, so erlaubte ihnen das Gesetz zur dankbaren Erinnerung daran einmal in jedem Jahre zu verfahren . . . Jedes Haus erhält zu dieser Zeit den Charakter und die Weihe eines Heiligtums; denn das geopferte Tier wird zu weihevollem Mahle zubereitet und die

---

104 Zu dieser deuteronomischen Neuerung siehe S. 74-76.

105 Philo bedient sich des Ausdrucks διαβατήρια (scil. ἱερά), der bei den Griechen (Thuk. 5,54f; Plut. Luk. 24; Cass. Dio 40,18, u. ö.) ein Opfer bezeichnete, das vor dem Überqueren von Flüssen und Grenzen dargebracht wurde (vgl. das engl. »Pass-over«).

Teilnehmer an diesem Festmahle haben sich mit heiligem Sprengwasser gereinigt: sie sind ja nicht zusammengekommen, um wie bei sonstigen Gelagen ihrem Leib mit Wein und Speisen zu Willen zu sein, sondern um der Väter Brauch unter Gebeten und Lobgesängen zu erfüllen.

Mit dem Überschreitungsopfer verbindet (das Gesetz) ein Fest, an dem man eine besondere, ungewöhnliche Nahrung verwendet, *ungesäuerte Brote;* davon hat es auch seinen Namen. . . . Daß das Brot aber ungesäuert genossen wird, hat seinen Grund entweder in dem Umstande, daß unsere Vorfahren, als sie auf göttliches Geheiß ihren Auszug bewerkstelligten, höchste Eile anwenden und ihren Teig daher ungesäuert mitnehmen mußten, . . . oder auch darin, daß zu jener Zeit – ich meine, in der Frühlingszeit, in der das Fest begangen wird – die Brotfrucht noch nicht reif ist, da das Feld nur Ähren trägt und die Erntezeit noch nicht gekommen ist. Der unvollkommenen, werdenden, aber bald zur Reife gelangenden Frucht soll also das ungesäuerte Brot entsprechen, das ja gleichfalls unvollkommen ist, und es soll schöne Hoffnungen in uns wecken in dem Gedanken, daß schon die Natur die jährlichen Gaben für die Menschheit rüstet, um ihr ihren Lebensbedarf in Hülle und Fülle zu gewähren. Es wird aber auch noch folgender Grund von den Erklärern der heiligen Schrift angeführt: die ungesäuerte Kost ist eine Gabe der Natur, die gesäuerte ein Kunsterzeugnis; . . . Da nun das Frühlingsfest . . . an die Entstehung der Welt erinnern soll, und die ersten erdgeborenen Menschen und deren Kinder die Gaben des Weltalls natürlich unverändert genossen, da die Lust noch keine Gewalt über sie besaß, so schrieb das Gesetz für diese Festzeit die Kost vor, die ihr am besten entspricht.«[106]

In Ant. II,311-317 beschreibt *Josephus Flavius* (37/38 bis nach 100 n. Chr.), wie Mose im Auftrag Gottes in Ägypten das Pesach anordnet, wofür er das Volk in »Bruderschaften« (φατρίαι) einteilt. »So kommt es, daß wir bis heute gemäß der Sitte auf diese Weise opfern (θύομεν), indem wir das Fest Pascha nennen, was ›Über-

[106] 145f.148.150.158-160. Übersetzung nach *I. Heinemann,* in: L. Cohn u. a., Philo von Alexandrien. Die Werke in deutscher Übersetzung II, Breslau 1910, Nachdruck Berlin 1962, 146-152.

gehen‹ (ὑπερβάσια) bedeutet, weil Gott sie an jenem Tag überging, als er die Ägypter schlug«[107]. Dann wird der Aufbruch aus Ägypten beschrieben und das Mazzenfest begründet:

> »Da sie wegen der Wüste sich nicht aus dem Lande versorgen konnten, ernährten sie sich von ihren eigenen Broten aus vermengtem (term. techn.) Weizenmehl, das durch (nur) kurze Erhitzung festgeworden war; und diese brauchten sie auf dreißig Tage. Auf längere Zeit nämlich reichte ihnen nicht, was sie aus Ägypten mitbrachten, und das, obschon sie die Nahrung beschränkten und sie zur nötigen Stillung des schlimmsten Hungers und nicht zur Sättigung verwandten. Deswegen begehen wir zum Gedächtnis der damaligen Not ein achttägiges Fest, die sogenannten AZYMA.«[108]

Im Zusammenhang mit der Begründung der Opfer werden Pesach und Mazzenfest (sowie Darbringung der Erstlingsgarbe) erneut aufgeführt in III,248-251. Auch hier erscheinen Pesach und Mazzenfest deutlich als zwei getrennte Feste (»am 15. Tag folgt auf das Pascha das Fest der ungesäuerten Brote, das sieben Tage dauert«[109]). Im Anschluß an 2 Chr 30 berichtet Josephus in IX,271f über das Pesach des Hiskia, wobei er (im Gegensatz zu III, 249) anachronistisch Pesach und Mazzenfest kombiniert: »Als das Fest der ungesäuerten Brote gekommen war, opferten sie das sogenannte Phaska.« Mit derselben Formel (ἐνστάσης δὲ τῆς τῶν ἀζύμων ἑορτῆς) wird XI, 109f das Pesach der Heimkehrer aus dem Exil eingeführt. Ähnlich lesen wir bei der Beschreibung der josianischen Pesachfeier X, 70-72: »Er rief das Volk nach Jerusalem zusammen und feierte dort das Fest der ungesäuerten Brote und das sogenannte Pascha«[110]. In XIV, 20f hören wir, Aretas und die Anhänger des Hyrkan hätten Aristobul im Tempel belagert »zur Zeit des Festes der unge-

---

[107] Ebd. 313.

[108] Ebd. 316f; die Übersetzung verdanke ich *H. Cancik*. Deutlich ist bei Josephus die Tendenz wahrnehmbar, die Juden vom eventuellen Verdacht zu entlasten, sie hätten sich, wie Räuber und Söldner, aus dem Land verproviantiert.

[109] Ebd. 249.

[110] 2 Chr 35,17: »das Pesach und sieben Tage lang das Fest der ungesäuerten Brote«.

säuerten Brote, das wir Phaska nennen«. Das Doppelfest wird überdies erwähnt in XVII, 213f; XVIII, 29; XX, 106; Bell. Jud. II, 10; VI, 421-423. Mit dem Namen »Pascha« allein wird es in Ant. XVIII, 90, mit dem Namen »Fest der ungesäuerten Brote« in Bell. Jud. II, 224.244.280; IV, 402; V, 99; VI, 290 bezeichnet. Wie wir sehen werden, lassen sich aus Josephus über die Gestaltung des Paschafestes in Jerusalem zur Zeit Jesu wertvolle Details entnehmen.

d) Mischna

Die rabbinische Literatur bietet ausgiebiges Material zum Pesachfest. Das wichtigste Dokument ist der dritte Traktat der zweiten »Ordnung« der Mischna,[111] der nach seinem Gegenstand den Namen *Pesachim* trägt. Dieser Traktat ist besonders wichtig für die Kenntnis des Ritus, der zur Zeit Jesu für das Pesach eingehalten wurde. Zwar wurde die Mischna erst beträchtliche Zeit nach der Zerstörung des Tempels redigiert, jedoch in der Absicht, das in der letzten Phase des Tempels geltende Brauchtum zu kodifizieren und in eine künftige Zeit hinüberzuretten (die Zerstörung des zweiten Tempels wurde ja anfänglich, gleich der des ersten Tempels, nur als vorläufig angesehen). Deshalb setzt der Traktat Pesachim voraus, daß der Tempel noch besteht. Soweit das Tempelritual in Frage kommt, wird er somit als eine zuverlässige Quelle für die Zeit vor 70 n. Chr. anzusehen sein. Was die häusliche Feier angeht, ist er mit größerer Vorsicht zu gebrauchen.[112]

---

[111] der »Ordnung der Feste« *(seder mōʿēd)*.

[112] *Segal* (Anm. 95) 257f.

III. Der Ursprung des Festes

1. Das Pesach der Frühzeit

a) Biblische Hinweise

Unsere Erwägungen über die Bedeutung des Wortes *pesaḥ*[113] empfahlen, in dem Ritus eine vorisraelitische Institution zu sehen, die in israelitischer Zeit eine neue Sinngebung erhielt. Schon von daher legt sich die Annahme nahe, das Pesach gehe nicht auf eine mosaische Stiftung zurück, sondern sei in seinen Grundelementen bereits in vormosaischer Zeit von israelitischen und anderen semitischen Sippen praktiziert worden.

Die Bibel selbst scheint unmißverständliche Andeutungen in dieser Richtung zu machen. Gerade die ältesten Pesachtexte des Alten Testaments erwecken den Eindruck, das Pesach sei den Israeliten zur Zeit des Mose etwas längst Vertrautes gewesen. Um vom Pharao die Erlaubnis zu erwirken, das Land Ägypten zu verlassen, machen sie geltend, auf Grund einer heiligen Verpflichtung müßten sie in die Wüste hinausziehen und dort im Rahmen eines Wallfahrtsfestes (*ḥag*: Ex 5,1; 10,9) ihrem Gott opfern (3,18; 5,3; 7,16.26; 8,16.21-24; 9,1.13; 10,3.7-11.24-26). Vor allem 8,21-24 deutet an, daß die semitischen Stämme sich an einen Ritus gebunden fühlten, vor dem die Ägypter einen ausgesprochenen Abscheu hatten, ja der ihnen geradezu als Sakrileg galt. Der Widder, der beim Pesach getötet wurde, war für die Ägypter ein heiliges Tier, dem man die Fruchtbarkeit der Herden und der Felder und selbst der Frauen verdankte. Er hatte besonders im Delta, dem Wohnbereich der hebräischen Sippen, zahlreiche Kultorte.[114] So verstehen wir, daß die Pesachpraxis unvermeidlich zu einem Konflikt mit den Ägyptern führen mußte.

Zugleich kann nicht bestritten werden, daß gerade die ältesten biblischen Texte vom Pesach wie von einer bekannten Institution sprechen. Im jahwistischen Bericht Ex 11,4ff kündet Mose dem Pharao

---

[113] Siehe S. 22-26.

[114] Vgl. *H. Bonnet,* Reallexikon der ägyptischen Religionsgeschichte, Berlin 1952, Art. Widder (867-871).

die Tötung der ägyptischen Erstgeburt an. Dann wendet er sich an die Israeliten und weist sie an: »Greift zu und nehmt euch Schafe, für jede Familie eines, und schlachtet das Pesach« (12,21). Wie sie das tun sollen, darüber verliert Mose kein Wort. Es wird offenbar vorausgesetzt, daß die Israeliten sehr wohl Bescheid wissen. Das einzige, worauf dieser Text besonders insistiert, ist die Bestreichung der Oberschwelle und der beiden Türpfosten mit dem Blut der geschlachteten Tiere. Der Ysop-Büschel, der dabei verwendet wird, soll den Liturgen vor dem direkten Kontakt mit dem Blut bewahren. Dieses gehört als Sitz und Träger des Lebens der göttlichen Sphäre an und stellt alle Hausbewohner unter den Schutz der Gottheit.[115]

Eine ausführliche Beschreibung des ganzen Pesachritus wird im priesterschriftlichen Text Ex 12,1-14 gegeben. Wie wir sehen werden, haben wir es dabei mit einer sehr alten Überlieferung zu tun. Die Haltung, in der das Kultmahl gefeiert werden soll, ist die von Nomaden, die sich im Aufbruch befinden (geschürztes Gewand, Sandalen, Stab, Hast). Als Begründung für diese Vorschrift finden wir den schlichten Hinweis: »Es ist ein Pesach für Jahwe« (Vs. 11). *Deshalb* sollen die Teilnehmer am Kultmahl sich als aufbrechende Nomaden gebärden: weil dieses ein Pesach ist.

b) Religionsgeschichtliche Beobachtungen

Dieser biblische Befund einerseits und gewisse religionsgeschichtliche Beobachtungen, von denen unten die Rede sein wird, andererseits haben schon seit längerer Zeit zahlreiche Autoren veranlaßt, im Gefolge von J. Wellhausen das Pesach als ein altes Frühlingsfest wandernder Hirten anzusehen. Dieses sei später der Jahwereligion angepaßt worden, indem man die Exoduserzählungen als Kultlegende einsetzte. Nach Wellhausen würde der nomadische Charakter des Festes sich darin erweisen, daß die Israeliten es nach ihrer Seßhaftwerdung völlig aufgegeben hätten. Der einzige vorexilische Text, der vom Pesach rede, sei 2 Kön 23,21-23, und zwar werde darin die Feier des Pesach in der Königszeit als etwas durchaus Einmali-

[115] Vgl. *Segal* (Anm. 95) 157-165.

ges und Außergewöhnliches hingestellt: zum ersten Mal seit der Richterzeit sei unter Josia das Pesach wieder gefeiert worden.[116]

Diese These vom nomadischen Ursprung des Pesach ist in der kritischen Forschung weithin Gemeingut geworden.[117] Einen besonderen Akzent haben ihr L. Rost und M. Noth gegeben. Nach Rost wäre das Pesach alljährlich das letzte feierliche Kultmahl gewesen, das die Nomaden begingen, ehe sie von den Winterweiden in die Sommerweiden überwechselten.[118] Dadurch würde das Pesach in die Kategorie der sogenannten Übergangsriten (*rites de passage*) eingeordnet. In ihnen drückt sich das Bestreben aus, in Wendezeiten der Natur oder der menschlichen Existenz, welche als gefahrvolle Krisen empfunden werden, die von seiten schadenbringender böser Mächte drohenden Gefahren durch Opfer zu bannen.[119] Noth hat Rosts These weiterentwickelt: Nach der Seßhaftwerdung der Stämme seien die Einzelheiten des Pesachritus so umgedeutet worden, daß die Feier des jährlichen Aufbruchs aus den Weidegebieten der Wüste in die Weidegebiete des palästinischen Kulturlandes zum Gedächtnis jenes großen einmaligen Aufbruchs aus Ägypten zur dauernden Inbesitznahme des palästinischen Kulturlandes wurde.[120]
Auf katholischer Seite hat man sich bis in die neuere Zeit hinein gesträubt, mit einer vormosaischen Herkunft des Pesachfestes zu rechnen. Noch P. Heinisch lehnt in seinem Exoduskommentar von 1934 eine solche Vorstellung ab.[121] Immerhin hatte schon der französische Dominikaner J.-M. Lagrange nachdrücklich auf die Analogie zwischen dem biblischen Pesach und dem Fest der Erstlinge

---

[116] Prolegomena zur Geschichte Israels, Berlin [6]1905, Nachdruck 1927, 88f.

[117] So in neuerer Zeit *Kraus* (der »als kaum anfechtbar« voraussetzt, »daß das Passah dem Lebensbereich der nomadischen Kleinviehhirten zuzuordnen ist«; Zur Geschichte ... [Anm. 28] 53) und *Kutsch* (Anm. 28) 4.

[118] (Anm. 35).

[119] Vgl. S. 16-18.

[120] Überlieferungsgeschichte des Pentateuch, Stuttgart 1948, 72f.

[121] »Es (das Pesach) ist also *von Moses eingesetzt* und nicht schon vor Moses von den Israeliten gefeiert worden« (Das Buch Exodus, Bonn 1934, 99; Hervorhebungen dort).

der Herden hingewiesen, das die alten Araber im Frühling beginnen,[122] und in den neuesten Exoduskommentaren vertreten A. Clamer[123] und G. te Stroete[124] die Ansicht, die Hebräer hätten *vor* (oder zumindest unabhängig von) dem Exodus ein Frühlingsopfer in der Wüste praktiziert, und das gleiche sei auch von anderen semitischen Stämmen anzunehmen. Für R. de Vaux ist der nomadische Ursprung des Pesach eine ausgesprochene Selbstverständlichkeit.[125]

Allen diesen im einzelnen recht unterschiedlichen Erklärungen ist doch dies gemeinsam, daß sie die Urform des Pesach – ob sie diese nun in die vormosaische oder in die mosaische Epoche ansetzen – in der Welt der *Nomaden* suchen. Es hat aber auch nicht an Versuchen gefehlt, den Pesachritus vom religiösen Brauchtum des *bäuerlichen* Kanaan her zu erklären. Man wollte im vorisraelitischen Pesachfest ein kanaanitisches Neujahrsfest sehen,[126] ein Kultdrama, das in einem kultischen »Exodus« in die Wüste, das heißt aufs Land hinaus bestand und in das später Erinnerungen an den historischen Exodus aus Ägypten Eingang gefunden hätten,[127] ein Frühlingsfest, in welchem der Sieg Jahwes über den »Pharao«, das heißt über die Urmächte gefeiert worden wäre.[128] Namentlich skandinavische Forscher sind in dieser Richtung aktiv geworden. Allerdings kam die schärfste Reaktion gegen die letztgenannte Ansicht ebenfalls von einem Skandinavier, nämlich von S. Mowinckel. Er räumt ein, daß

---

122 Études sur les religions sémitiques, Paris ²1905, 256.298f. »Les nomades qui ne récoltent pas de céréales ne peuvent avoir qu'une fête des prémices, celle des nouveau-nés des troupeaux; elle est au printemps« (256). Vgl. S. 17f.55.

123 (Anm. 80) 127.

124 (Anm. 79) 84.

125 Sacrifices (Anm. 43), bes. 7-15.

126 *S. H. Hooke,* The Origins of Early Semitic Ritual, London 1938, 47-50.

127 *I. Engnell,* Proceedings of the 7th Congress for the History of Religions, Amsterdam 1951, 111-113; Paesaḥ-Maṣṣōt and the Problem of »Patternism«: Orient. Suec. 1 (1952) 39-50; Art. Påsk, in: Svenskt Bibl. Uppslagsverk II, 1952, 838-850.

128 *J. Pedersen* (Anm. 56). Pedersen bestreitet allerdings damit nicht den nomadischen Ursprung des Pesach. »Die Legende setzt voraus, daß ein altes Nomadenfest unabhängig vom ägyptischen Passah bestand« (ebd. 166).

die biblischen Berichte zwar nicht Geschichte im modernen Sinn des Wortes sein wollen, sondern Heilsgeschichte, betont aber, daß die Heilsgeschichte notwendig bestimmte geschichtliche Vorgänge voraussetzt. Die israelitische Religion unterscheidet sich, wie Mowinckel mit Recht hervorhebt, von den Naturreligionen des Vorderen Orients wesentlich dadurch, daß Israel seinen Gott kennengelernt hat als einen Gott, der handelt und sich durch geschichtliche Tatsachen offenbart, und daß sein Glaube entscheidend auf diesen geschichtlichen Tatsachen basiert.[129]

Eine vermittelnde Stellung zwischen den Verfechtern einer nomadischen und denen einer bäuerlichen Herkunft des Pesachfestes nimmt J. B. Segal in der breiten wissenschaftlichen Monographie ein, die er vor wenigen Jahren über das Pesachfest vorgelegt hat.[130] Für Segal ist das Pesach entscheidend ein Neujahrsfest, das von den Hebräern von frühester Zeit an beim Frühlingsvollmond an einem vorgeschriebenen Heiligtum als Wallfahrtsfest begangen wurde.[131] Das Pesach ist somit in dem Sinn ein *rite de passage*, als es den Übergang vom alten zum neuen Jahr markiert.[132] Es galt der besonderen Gottheit des Volkes und wurde von allen erwachsenen Männern Israels, vermutlich vom 20. Lebensjahr an, begangen, nachdem sie sich dem Initiationsritus der Beschneidung unterzogen hatten. Mit der Einteilung der Gemeinde in Familieneinheiten war zugleich eine Musterung für militärische, religiöse und fiskalische Zwecke beabsichtigt. Die das Opfertier betreffenden Vorschriften wollten ein Maximum an ritueller Reinheit gewährleisten. Dem Fest ging eine siebentägige Reinigungszeit voraus. Am Festtag selbst tauschte man Geschenke aus, und man glaubte, an der Jahreswende würden für

---

[129] *S. Mowinckel*, Die vermeintliche »Passahlegende« Ex. 1-15 in Bezug auf die Frage: Literarkritik und Traditionskritik, in: Studia Theologica 5, Lund 1951, erschienen 1952, 66-88.

[130] Siehe Anm. 95.

[131] Ebd. 114-154, vgl. auch die Zusammenfassung 266f.

[132] »The Pesaḥ is a *rite de passage* ... It marks the passing from the old year to the new year« (ebd. 186f; vgl. auch 126-154). Demzufolge nimmt *Segal* für die Wurzel *psḥ* die Grundbedeutung »hinübergehen« an (vgl. das englische »Pass-over«); nur im Exodus-Kontext läge die abgeleitete Bedeutung »überspringen« = »verschonen« vor (ebd. 186).

das bevorstehende Jahr die menschlichen Schicksale bestimmt. Zum ursprünglichen Ritus gehörte ein liturgischer Exodus in die Wüste, wo man in Zelten lebte. Dem eigentlichen Fest folgte eine siebentägige Nachfeier, während der man sich der Arbeit enthielt, Opfer darbrachte und nichts Gesäuertes aß.

Damit verlegt Segal den Ursprung des Pesach zwar in die vorkanaanitische Phase Israels, ohne jedoch aus ihm ein Nomadenfest zu machen. Denn unter Berufung auf Stellen wie Gen 26,12; 37,6ff betont er zugleich, die damaligen Stämme seien keine Nomaden mehr gewesen, sondern Halbnomaden, die bereits mit der Praxis des Ackerbaus vertraut waren.[133] Allerdings macht sich Segal verdächtig, damit seine These stützen zu wollen, Pesach und Mazzot seien von Anfang an *ein* Fest gewesen.[134]

2. Ein Frühlingsfest wandernder Hirten

Daß das nächtliche Frühlingsfest, wie es in Ex 12,1-14 beschrieben wird, nur von der Welt wandernder Hirten her zu begreifen ist, dürfte der französische Orientalist E. Dhorme am eindrücklichsten aufgezeigt haben.[135] Fühlt sich der seßhafte Bauer von innen heraus gedrängt, der Gottheit die Erstlinge des Ackers darzubringen, so der Hirt die Erstlinge der Herde. Diese Parallele tritt uns ja schon auf den ersten Seiten der Bibel in der Überlieferung von Kain und Abel entgegen: Kain, der Ackerbauer, opfert von den Früchten der Ackererde; Abel, der Schäfer, von den Erstlingen seiner Schafe (Gen 4,3f).[136]

---

133 Ebd. 93f.

134 Zu dieser Frage siehe S. 64-67.

135 La religion des Hébreux nomades, Bruxelles 1937, 210-212.

136 Der Grundgedanke des Erstlingsopfers ist weniger der des zeitlich als der des qualitativ Ersten. Während nach dem Bundesbuch Ex 23,19 »das Beste der Erstlinge« des Ackers zum Haus Jahwes gebracht werden soll *(rēʾšīt bikkūrē ʾadmātᵉkā)*, ist Dtn 26,2 nur vom »Ersten aller Früchte des Ackers« *(rēʾšīt kol-pᵉrī hāʾădāmāh)* die Rede, was sowohl das zeitlich wie das qualitativ Erste bezeichnen kann. In seiner sorgfältigen Studie über die Bedeutung des Wortes *rēʾšīt* (Trois notes sur Genèse I, in: Interpretationes ... Mowinckel, Oslo 1955, 85-96) bemerkt *P. Humbert* nach Aufzählung der wenigen Stel-

Bei den Israeliten mußte die Feier in der Nacht vom 14. auf den 15. des Frühlingsmonats, also beim Frühlingsvollmond, stattfinden.[137] Wer je eine orientalische Mondnacht erlebt hat, weiß, wie mächtig sie zu einer nächtlichen Feier einlädt. Schon aus rein praktischen Gründen mußte das helle Leuchten des Mondes den Hirten für ihr Fest willkommen sein. Überdies liegt die Annahme nahe, der bei den alten Semiten weit verbreitete Mondkult habe die Wahl des Datums mitbestimmt. Orientieren die seßhaften Völker ihr Leben vorwiegend nach der Sonne, so die Nomaden nach dem Mond. Bei den Ägyptern, die seit urdenklichen Zeiten seßhaft waren, hatte bekanntlich der Sonnenkult die Führung, während der Mondkult immer nur eine blasse Rolle spielte.[138] Umgekehrt war die Bedeutung der beiden Gestirne in Mesopotamien, wo die Erinnerung an die nomadische Vergangenheit lebendig geblieben war.[139] Die zwei großen Zentren des Mondkultes waren dort Ur und Charan, also die Städte, in deren Peripherie nach biblischer Überlieferung die Sippe Abrahams nomadisiert hatte (Gen 11,28.31; 12,4f).[140] Erst recht beherrschte der Mond im alten Südarabien eindeutig das ganze Pan-

---

len, an denen *rēʾšīt* eindeutig einen temporalen Sinn hat: »Partout ailleurs *rēʾšīt* désigne la première et la meilleure part de quelque chose, c'est à dire, le plus souvent, les prémices, la notion de valeur se joignant alors à celle de priorité, et c'est probablement le sens le plus ancien du mot« (86). Zur Frage, ob das Pesachopfer ein Erstlingsopfer war, vgl. Anm. 153.166.

137 Das Pesach war zweifellos von Anfang her an den Vollmond nach der Tag- und Nachtgleiche des Frühlings gebunden, während das parallele Datum im Herbst für das Laubhüttenfest (Lev 23,39) späterer Herkunft ist, wohl als beabsichtigte Entsprechung zum Pesach.

138 Vgl. *Bonnet* (Anm. 114) Art. Sonne (729-733), Mond (470-472). »Einen eigentlichen Kult hat der Mond nur in geringem Umfang besessen« (ebd. 471).

139 »Dans la hiérarchie des êtres célestes le dieu-soleil passe après le dieu-lune« *(É. Dhorme,* Les religions de Babylonie et d'Assyrie, Paris ^{2}1949, 60).

140 Vgl. *D. O. Edzard,* in: Wörterbuch der Mythologie I/1, Stuttgart 1965, 101-103. *J. Lewy,* The Late Assyro-Babylonian Cult of the Moon and Its Culmination at the Time of Nabonidus (HUCA 19 [1945/46] 405 bis 489). *A. F. Key,* Traces of the Worship of the Moon God Sîn among the Early Israelites: JBL 84 (1965) 20-26, wo,

theon und regelte das religiöse, bürgerliche und politische Leben, eine Gegebenheit, die bis zum heutigen Tag im Mondkalender der Mohammedaner und in der Mondsichel als Symbol des Islam fortwirkt. Bei den alten Arabern war der Mond der segnende, helfende, schützende, liebende Vatergott,[141] und die Vermutung, die Erstlinge der Herde seien ursprünglich der Mondgottheit selbst dargebracht worden, kann nicht einfach von der Hand gewiesen werden. Der Mondgottheit wurde ja im besonderen die Fruchtbarkeit zugeschrieben.[142]

---

im Gefolge von Lewy, die Namen Terach und Laban mit dem Mondkult in Verbindung gebracht werden (vgl. hebr. *l^{e}bānāh* = Mond). In Charan hielt sich der Mondkult bis in die arabische Zeit. Im Gegensatz zu den Ägyptern hatten die Babylonier einen Mondkalender. Auch in der Orakeldeutung spielte der Mond eine viel größere Rolle als die Sonne. »Unter den Himmelskörpern war der *Mond*, der Regent der Nacht und Bestimmer des Monats, auch als Vorzeichenspender der wichtigste« (*B. Meissner*, Babylonien und Assyrien II, Heidelberg 1925, 248).

141 *D. Nielsen*, Handbuch der altarabischen Altertumskunde, Kopenhagen 1927, 213-224. Zur Nuancierung der These von Nielsen, wonach das gesamte semitische Pantheon sich ursprünglich auf die Trias Mond-Sonne-Venus zurückführen lasse, vgl. *G. Ryckmans:* »L'hypothèse de la triade primitive exclusive de tout autre élément divin est loin d'être vérifiée. Mais il est incontestable que les divinités stellaire et lunaire, toutes deux du genre masculin, jouent un rôle prépondérant chez les Arabes du sud, descendants de nomades et grands trafiquants caravaniers« (Les religions arabes préislamiques, in: A. Quillet [Hrg.], Histoire générale des religions II, Paris 1960, 210-228, hier 222). Vgl. auch *J. Henninger*, Über Sternkunde und Sternkult in Nord- und Zentralarabien: Zeitschr. für Ethnologie 79 (1954) 82 bis 117, hier 107f). Unbestritten war der Mondgott der Reichsgott der südarabischen Staaten. Sein offizieller Name lautet bei den Sabäern 'Almaqah, bei den Minäern Wadd (»Liebe«), in Qataban 'Amm (»väterlicher Oheim«), in Haḍramaut Sîn; vgl. die entsprechenden Stichwörter in: Wörterbuch der Mythologie *(Höfner)*; auch *A. Dietrich*, Geschichte Arabiens vor dem Islam, in: Handbuch der Orientalistik, Erste Abteilung II/4,2, Leiden 1966, 291-336, hier 303.

142 In Ägypten ist der Mondgott ein »brünstiger Stier, der die Weiber schwängert«. »Die Tatsache, daß sich in dem Mond immer wieder Neugeburt und Wachstum darstellen, mag Anlaß gegeben haben, ihm einen Einfluß auf Zeugung und Geschlechtsleben zuzusprechen. Der

Auch der Ablauf der Pesachfeier, wie er Ex 12,1-14 beschrieben wird, entspricht voll und ganz den Verhältnissen der Nomaden. Gewiß mögen das »Haus«, die »Türpfosten« und die »Oberschwelle« sich auf die Lebensweise einer späteren Zeit beziehen.[143] Das übrige aber ist ausgesprochen nomadenhaft. Die Hirten kommen am Abend beim Lokalheiligtum zusammen.[144] Küchengeschirr ist natürlich

---

zunehmende Mond reizt danach zur Begattung und läßt die Frauen empfangen« *(Bonnet* [Anm. 114] 471). In Ur wurde der Mondgott unter dem Bild eines goldenen Kalbes mit mondsichelförmigen Hörnern verehrt. Er wird im Gebet angeredet als »starkes Jungrind mit mächtigen Hörnern«, als »Mutterschoß, der alles gebiert«. »Wenn dein Wort auf Erden ergeht«, bekennt der Beter, »läßt es üppiges Gras wachsen, dein Wort macht Hürde und Pferch fett, macht die Lebewesen zahlreich« *(A. Falkenstein/W. von Soden,* Sumerische und akkadische Hymnen und Gebete, Zürich 1953, 223f).

143 Immerhin macht *H. Cazelles* darauf aufmerksam, daß Halbnomaden — und solche waren die Israeliten seit der Patriarchenzeit — auch schon in Lehmhäusern wohnen (DBS V, 517). Vgl. auch Gen 33,17.

144 Daß man in der nomadischen Zeit Israels — im Gegensatz zur bäuerlichen (vgl. S. 63) — zur Feier des Festes zu einem Heiligtum pilgerte, dürfte sich aus dem Gebrauch des Terminus *ḥag* in Ex 5,1; 10,9 ergeben (vgl. S. 43 und *J. Henninger,* Les fêtes de printemps chez les Arabes et leurs implications historiques: Revista do Museo Paulista 4 [Sâo Paulo 1950] 389-432, hier 402). Solche Kultstätten, in der Regel bei einer Quelle oder Oase gelegen, spielten im Leben der Hirtenstämme die Rolle von festen Treffpunkten. So kreist nach den Erzählungen der Genesis das ganze Leben der Patriarchen um bestimmte Heiligtümer, die teils im Kulturland, teils in der Wüste liegen, und es empfängt an ihnen entscheidende Impulse (Sichem: Gen 12,6f; 33,18-20; 35,4; 37,12; Jos 24,32; Bethel: Gen 12,8; 13,3; 28,11-22; 35,6-15; Mamre: 13,18; 14,13; 18,1; 35,27; Beer-Seba: 21,31-33; 22,19; 26,33; 28,10; 46,5; Beer-Lachai-Roi: 16,14; 25,11; Machanaim: 32,3; Penuel: 32,31f; Sukkoth: 33,17). Vgl. zum Ganzen *J. Henninger/H. Cazelles/M. Join-Lambert,* Pèlerinages dans l'Ancien Orient, in: DBS VII, 567-589 und auch *Segal* (Anm. 95) 133f. Der Hinweis Segals, im Hinblick auf den ursprünglichen Wallfahrtscharakter des Pesach sei dessen Bindung an den Jerusalemer Tempel somit keine Neuerung gewesen, ist jedoch im Sinne des unten (S. 63) Gesagten zu nuancieren. *Laaf* (Anm. 28) verneint allerdings, daß die Stellen Ex 3,18 usw. (vgl. S. 43), die von einem Opferfest in der Wüste sprechen, sich auf das Pesach beziehen ließen, da sie aus einer anderen Überlieferung stammten (121 und passim). Auch bezweifelt er,

nicht vorhanden. Das Lamm wird auf einer improvisierten Feuerstelle gebraten.[145] Damit ist zugleich gegeben, daß die Feiernden beim Opfermahl eng zusammenrücken und eine Mahlgemeinschaft bilden müssen.[146] Auch das Brot wird auf der Stelle gebacken, nachdem der Teig aus Mehl und Wasser bereitet worden ist. Deshalb ist das Brot ungesäuert.[147] Das Salz wird ersetzt durch die bitteren Kräuter, die in der Wüste wachsen.[148] Auch die Gewandung ist eine typische Hirtengewandung: Sandalen (*ne'ālīm*), wie sie Mose trägt,

---

daß der ursprüngliche nomadische apotropäische Blutritus mit einem Opfermahl verbunden war (149f und passim).

145 Die Vorschrift, daß das Lamm nicht gesotten, sondern nur gebraten werden dürfe, auf der Ex 12,9 sehr insistiert, steht im gesamten israelitischen Ritual singulär da; vgl. *de Vaux*, Sacrifices (Anm. 43) 12f. Die Sorge um größtmögliche rituelle Reinheit braucht jedoch aus der Vorschrift nicht herausgelesen zu werden, wie dies *Segal*, aaO. 166f, tut.

146 Die Wahrung der Mahlgemeinschaft ist wohl auch der nächstliegende Sinn des Verbotes, vom Opfertier etwas aus dem Haus hinauszutragen und seine Knochen zu zerbrechen, das in der Vorschrift, es *ganz* zu braten, einschlußweise enthalten ist und Ex 12,46; Num 9,12 (LXX auch Ex 12,10) ausdrücklich ausgesprochen wird (vgl. *R. Dussaud*, Les origines cananéennes du sacrifice israélite, Paris ²1941, 211; *de Vaux*, Sacrifices 14). Andere Erklärungen bei *de Vaux*, ebd. 13f; *Segal*, aaO. 170f; *J. Henninger*, Zum Verbot des Knochenzerbrechens bei den Semiten, in: Studi Orientalistici ... Levi Della Vida I, Roma 1956, 448-458, mit ausgiebiger Literatur. *Segal* bringt auch hier wieder Reinheitsinteressen ins Spiel (»to prevent ... pollution«, aaO. 171).

147 Wiederum dürfte für den nomadischen Brauch *Segals* Begründung zu weit hergeholt sein, wenn er schreibt: »fermentation represented the mysterious contagion of decay. It was avoided at regular sacrifices — and even more so at the Pesaḥ, where failure to observe ritual cleanness might be fraught with grave consequences in the ensuing year« (aaO. 169). Neutestamentliche Stellen wie Mt 16,6 par; 1 Kor 5,6; Gal 5,9, auf die er sich beruft, spiegeln die Vorstellungen einer sehr viel späteren Zeit wider.

148 Vgl. dazu die eigenen Beobachtungen von *de Vaux* (Sacrifices [Anm. 43] 15). *Segal* schreibt den bitteren Kräutern eine magische Wirkung zu: »The most attractive explanation for the appearance of the bitter herbs at the Pesaḥ meal maintains that they were a prophylactic against evil spirits« (aaO. 170).

während er die Schafe seines Schwiegervaters hütet (Ex 3,5); das Gewand nach Art des Wanderers gegürtet (2 Kön 4,29; 9,1; Lk 12,35; übertragen 1 Petr 1,13), denn die Hirten sind ja beständig auf der Wanderschaft; der Stab (*makkēl*), von dem die Rede ist, ist der Hirtenstab (1 Sam 17,40.43; vgl. Ex 4,2). Die Feier zieht sich die ganze Nacht hin, muß jedoch am Morgen beendet werden, da die Hirten mit ihren Herden aufbrechen müssen. Daher die Bestimmung, vom Lamm nichts liegen zu lassen, sondern die Reste zu verbrennen (Vs. 10; vgl. Dtn 16,4; Ex 23,18; 34,25; Num 9,12). Das Pesachlamm war ja durch die Darbringung an die Gottheit geheiligt, war göttliche Speise geworden, die deshalb vor jeder Profanierung geschützt werden mußte. Bei aller Weihe, die über der Feier liegt, ist diese somit doch gekennzeichnet durch eine gewisse Hast (*ḥippāzōn)*, mit der sie vollzogen wird.[149]

Es kann also kaum einen Zweifel darüber geben, daß die Pesachverordnung Ex 12,1-14 auf uraltes nomadisches Brauchtum zurückgeht. Andererseits ist das Heilshandeln Gottes am Menschen von der Art, daß es die natürlichen Voraussetzungen nicht vergewaltigt, sondern sie gerade in ihrer spezifischen Beschaffenheit in die Heilsordnung einbezieht und ihnen dadurch eine höhere Bestimmung verleiht. Auf diesem Gesetz beruht ja der sakramentale Charakter der Kirche mit ihrer an dingliche Formen gebundenen Zusage des Lebens und des Heils. Somit ist jenes alte Hirtenfest von höchster Bedeutung für das Verständnis des Paschamysteriums, und wir werden uns mit aller Sorgfalt umzusehen haben, ob sich Zeugnisse für die Existenz eines Ritus, wie er uns in Ex 12,1-14 beschrieben wird, auch bei den Nomaden des Vorderen Orients außerhalb der Bibel beibringen lassen.

---

[149] Die Hast ist zweifellos von der Aufbruchsituation her zu verstehen (vgl. S. 45), hat jedoch ursprünglich mit dem Aufbruch aus Ägypten nichts zu tun (Dtn 16,3 »denn in Hast bist du aus dem Land Ägypten ausgezogen« ist spätere heilsgeschichtliche Deutung). In ihr ein Element des Neujahrsfestes zu sehen (symbolische Handlung, durch die der Übergang von der alten in die neue Zeit dargestellt werden soll), dürfte sich kaum empfehlen (»a mimetic action to speed the transition from an old to a new epoch«, *Segal*, aaO. 174).

3. Arabische Parallelen

a) radschab

Dabei haben sich unsere Blicke auf die vorislamischen Araber zu richten, weil einerseits die Araber das einzige semitische Volk des Vorderen Orients sind, bei dem sich über Jahrtausende hinweg eine Nomadenkultur erhalten hat, andererseits der Islam das Opfer unterdrückt hat. Den Anlaß, blutige Opfer darzubringen, boten im vorislamischen Arabien vor allem die Jahresfeste der Lokalgottheiten, an denen man zu ihren Heiligtümern wallfahrte und vor den heiligen Steinen die Tieropfer darbrachte, die man gelobt hatte. Vorzugsweise fanden diese Opfer im Monat *radschab,* dem ersten Frühlingsmonat, statt, so daß kurzweg von *radschab*-Opfern gesprochen wird. Die Ähnlichkeiten zwischen diesen und dem Pesach springen so in die Augen, daß sich ein Vergleich zwischen beiden aufdrängt.

Dieser Vergleich ist nicht neu; seit mehr als hundert Jahren wird auf ihn hingewiesen.[150] Katholischerseits dürfte ihn erstmals J.-M. Lagrange zu Beginn dieses Jahrhunderts aufgegriffen haben.[151] Dies geschah allerdings in einer Zeit, da konservative Kreise an der mosaischen Religion einseitig das göttliche Element hervorhoben und das menschliche ungebührlich vernachlässigten. So ist es nicht verwunderlich, daß der Vorschlag von Lagrange in diesen Kreisen wenig Gefolgschaft fand. Es lagen auch noch keine eingehenden Studien über das arabische *radschab*-Opfer vor. In der einen wie in der anderen Hinsicht stehen wir heute vor einer durchaus veränderten Situation. Einmal haben wir uns (vor allem dank den Leistungen der Archäologie) daran gewöhnt, den Einfluß der Umwelt auf das israelitische Brauchtum viel höher zu bewerten, als dies früher der

---

150 *J. Henninger,* Fêtes de printemps (Anm. 144) 420 und Anm. 141; Über Frühlingsfeste bei den Semiten, in: In Verbo Tuo = Festschr. zum 50jährigen Bestehen des Missionspriesterseminars St. Augustin bei Siegburg, St. Augustin 1963, 375-398, hier 386, schreibt ihn als erstem *H. Ewald,* De feriarum hebraearum origine ac ratione commentatio: Zeitschr. f. d. Kunde des Morgenlandes 3 (1840) 410-441, bes. 418f, zu.

151 (Anm. 122) 298f.

Fall war. Andererseits ist das zum arabischen *radschab*-Fest vorliegende Material neu und vollständiger aufgearbeitet worden, worum sich vor allem der dem Anthropos-Institut der Steyler Missionsgesellschaft angehörende Ethnologe J. Henninger verdient gemacht hat.[152]

Nach Henninger haben Pesach und *radschab* vor allem drei wesentliche Züge gemeinsam: (1) Beide sind Frühlingsfeste von Hirten; (2) beide sind Familienfeste, bei denen der Hausvater den Vorsitz führt und von einem amtlichen Priester nicht die Rede ist; (3) der beherrschende Ritus ist in beiden Fällen die Opferung des erstgeborenen Tieres der Herde.[153] Daraus ergibt sich für Henninger die Feststellung, daß die vorislamischen *radschab*-Opfer ebenso wie das israelitische Pesach ursprünglich Hirten-Frühlingsfeste mit Opferung der erstgeborenen Tiere waren. Es wäre allerdings voreilig, daraus zu schließen, das Pesach leite sich vom arabischen *radschab*-Opfer her. Vielmehr ist für die beiden Institutionen eine gemeinsame Wurzel im altsemitischen Nomadenleben anzunehmen. »Zeitlich, räumlich und hinsichtlich der Art des Kulturmilieus stehen sich diese beiden Feste sehr nahe, und die Übereinstimmungen sind charakteristisch genug, um einen Zusammenhang zu beweisen«[154].

Es ist übrigens bemerkenswert, welch zähes Nachleben dieses alte arabische Frühlingsfest selbst heute im opferfeindlichen Islam noch führt. Das höchste Fest des Islam ist das sogenannte »Opferfest« (*ʿīd al-aḍḥā*, auch *ʿīd al-ḳurbān* oder *ʿīd al-naḥr*), das auch einfach *das* Fest schlechthin oder das »große Fest« (*al- ʿīd al-kabīr*; im Gegensatz zum »kleinen Fest«, dem Fest des »Fastenbrechens«) ge-

---

[152] Fêtes de printemps (Anm. 144); Frühlingsfeste (Anm. 150). Zum Ganzen vgl. *de Vaux*, Sacrifices (Anm. 43) 18-20.

[153] Dieser letzte Zug, nämlich daß die *Erstlinge* der Herden dargebracht wurden, wird von *de Vaux* (ebd.) sowohl für das Pesach wie für das *radschab*-Opfer bestritten, vgl. auch Lebensordnungen II (Anm. 29) 347f. Den gleichen Standpunkt vertritt *Kutsch* (Anm. 28) 4-10: Es »ergibt sich kein Anhaltspunkt für einen Zusammenhang zwischen Passa und Darbringung der Erstgeburt« (ebd. 8). Ähnlich *Fohrer:* »Es trifft keineswegs zu, daß beim Passa die tierische Erstgeburt geopfert worden ist« ([Anm. 78] 91). Vgl. auch *Noth*, 2. Mose (Anm. 72) 79 und *Segal* (Anm. 95) 103-105.181.267.

[154] Frühlingsfeste (Anm. 150) 386.

nannt wird,[155] volkstümlich auch das »Schaffest«. An diesem Tag schlachtet jeder freie Muslim, der dazu in der Lage ist, ein Opfertier: ein Schaf (je eines für eine Person), ein Kamel oder Rind (je eines für eine bis sieben Personen). Tags zuvor besucht man sich gegenseitig, um sich ein gutes Fest zu wünschen. Das Fest selbst dauert drei bis vier Tage.

b) ḏabīḥa

Darüber hinaus aber wird während des Jahres bei ungezählten besonderen Anlässen ein Schaf oder ein anderes Haustier (Ziege, Kamel), männlichen oder weiblichen Geschlechts, vorzugsweise von weißer Farbe, geopfert. Diese Opferung heißt auf arabisch *ḏabīḥa* (»Schlachtopfer«), wobei zu beachten ist, daß der Ausdruck, wie das biblische *pesaḥ*, sowohl auf den Ritus wie auf das Opfertier angewendet wird.[156] Durch einen Schnitt in die Halsvene wird das Tier getötet, und das Blut fließt zur Erde. Eine andere Art der Tötung (z. B. Steinigung, Erschießung) würde nicht als gültig angesehen. Man praktiziert diesen Ritus, ehe man von einem neuen oder auch nur vergrößerten Zelt Besitz ergreift, um den Geist, der bisher den Ort für sich beansprucht hat und jetzt verdrängt werden soll, zu beschwichtigen. Am Eingang des Zeltes wird dem Schaf die Kehle durchgeschnitten, das dampfende Blut aufgefangen und damit der Mittelpfosten (*al-wāsaṭ*) des Zeltes bestrichen. Dann wird im Zelt das Mahl gehalten.
Das gleiche tun die Seßhaften oder Halbseßhaften beim Bezug eines neuen Hauses. Das Blut fließt in das Innere des Hauses oder in den Hof. Auch wird es auf den Türsturz gestrichen und auf die Tür gesprengt. Die Blutbestreichung und -besprengung hat offensichtlich den Sinn, böse Geister abzuwehren und Unheil fernzuhalten. Unverzüglich wird dann das Lamm zubereitet und im Haus gegessen. Andere Gelegenheiten, bei denen der Ritus praktiziert wird, sind die Eheschließung, und zwar angefangen von den ersten Verhandlungen bis zum Vollzug der Ehe (die Besprengung der Braut mit dem

---

[155] Vgl. Handwörterbuch des Islam, Leiden 1941, Art. *ʿīd al-aḍḥā* (S. 195).

[156] Vgl. zum folgenden *A. Jaussen*, Coutumes des Arabes au pays de Moab, Paris 1908, Nachdruck 1948, 337-361.

Blut des geschlachteten Lammes durch den Bräutigam bildet die Besiegelung des Ehebundes zum Abschluß des Hochzeitstages), und gleicherweise die Zurücknahme einer verstoßenen Frau durch ihren Mann. Ebenso gilt die Pflicht der *ḏabīḥa* für den Empfang eines angesehenen Gastes. Im modernen arabischen Orient wird auch ein neues Auto auf diese Weise »eingesegnet«. Wird ein Gast durch die *ḏabīḥa* geehrt, so darf, was vom Mahl übrigbleibt, nicht für den folgenden Tag zurückgelegt werden. Es ist unverzüglich an die Armen zu verteilen. Andererseits wäre es nie erlaubt, dem Gast Fleisch vorzusetzen, das von einer früheren Schlachtung stammt. Auch wenn es sich verbietet, daraus voreilige Schlüsse zu ziehen, so muß doch auffallen, wie sehr einzelne Elemente dieses Ritus mit den alten biblischen Pesachbräuchen übereinstimmen.

Bei allen genannten und anderen Anlässen, an denen die *ḏabīḥa* praktiziert wird,[157] geht es um den göttlichen Schutz, um die Abwehr der schädlichen Einwirkungen böser Geister und um die Festigung der menschlichen Gemeinschaft im Zeichen des Mahles. Dies sind aber auch die Grundzüge des altisraelitischen Pesach.

---

[157] Vgl. die weiteren Beobachtungen von *Jaussen*, aaO.

IV. Das Pesachfest vor der deuteronomischen Kultreform

1. Vom Nomadenpesach zum Pesach Israels

a) Historisierung

Die Beobachtungen, die wir bei den vorislamischen Arabern machen konnten, dürften erkennen lassen, daß wir es beim Pesachritus mit uraltem semitischem Überlieferungsgut zu tun haben, das selbst in der islamischen Welt der Gegenwart noch fortlebt. Die wandelnde Kraft des Jahweglaubens, die wir nicht genug bewundern können, zeigt sich beim Pesach in eindrücklicher Weise darin, daß er das alte nomadische Frühlingsfest in seinen Dienst zu nehmen wußte, um es zum sakramentalen Gedächtnis (*zikkārōn:* Ex 12,14; vgl. Lev 23,24) der Heilstat Jahwes zu machen.[158] Die israelitische Religion unterscheidet sich ja von allen anderen Religionen des Alten Orients dadurch, daß sie eine *geschichtliche* Religion ist, das heißt, daß sie auf geschichtlichen Heilstaten gründet, die Jahwe für sein Volk vollbracht hat. Ebenso sind auch alle ihre Feste *geschichtliche* Feste. Das war in der damaligen Welt etwas absolut Neues. Die kanaanitische Religion war eine Naturreligion; ihre Feste waren auf den Rhythmus der Natur bezogen, wobei namentlich der Erntedank und die Bitte um Fruchtbarkeit eine beherrschende Rolle spielten. Dem Dank für die Früchte des Ackers entspricht beim Nomaden, wie wir schon sahen, der Dank für die Früchte der Herde. Somit war auch das Pesach ursprünglich ein Naturfest. Daß Israel aus seiner Umwelt kultische Bräuche übernahm, war etwas durchaus Naheliegendes. So verband es das nomadische Naturfest des Pesach, das es bei der Landnahme mitbrachte, im Kulturland mit den bäuerlichen Festen Kanaans.

Gleichzeitig aber geschah etwas außerordentlich Bemerkenswertes. Israel hätte diese Feste als Naturfeste beibehalten können. Auch einer geoffenbarten Religion widerspricht es nicht, Gott als den

---

[158] »Vix enim quicquam novi per Mosen accessit praeter spiritum novum, qui cum omnino mosaicam religionem permeans in mundum venit, tum ferias veteres transformando et innovando suas fecit« (*Ewald* [Anm. 150] 426).

Schöpfer und den Spender aller Gaben der Natur anzuerkennen und dankbar zu verehren. Weil aber der Jahweglaube sich viel mehr auf Geschichtserfahrungen als auf Naturerfahrungen stützte,[159] hat Israel sich nie damit begnügt, nur Naturfeste zu feiern. Vielmehr hat es alle seine Feste auf die Geschichte bezogen, es hat sie – um einen in der alttestamentlichen Wissenschaft geläufigen Fachausdruck zu gebrauchen – »historisiert«.

Geschichte ist aber in Israel immer Heilsgeschichte, Ereignis des Heils, das Jahwe für sein Volk veranstaltet. Die Verankerung der Feste in der Geschichte konnte somit nur den einen Sinn haben, die *Geschichte* des Heils stets neu als eine *Gegenwart* des Heils erfahrbar zu machen. Das Fest wird so zu einem »Gedächtnis« der historisch greifbaren Heilstaten Gottes.[160] Das einmalige und unwiederholbare geschichtliche Geschehen wird in der kultischen Gedächtnisfeier für alle Geschlechter persönliche heilspendende Gegenwart. Das Fest ist damit ein Sakrament geworden, eine rituelle und gnadenhafte Vergegenwärtigung der göttlichen Heilstat. Das Laubhüttenfest soll die späteren Geschlechter an die Laubhütten erinnern, in denen Jahwe die Israeliten beim Auszug aus Ägypten wohnen ließ (Lev 23, 42f), das Pfingst- oder Wochenfest an die Sklaverei in Ägypten (Dtn 16,12), das Purimfest an die im Buch Ester geschilderte Rettung vor dem beschlossenen Verderben (Est 9,20-23).

Am stärksten ist dieser Gedächtnischarakter dem Pesachfest eigen. Dieses wird in der grundlegenden liturgischen Vorschrift ausdrück-

---

[159] Dieser »geschichtliche« Glaube hat vor allem im Dtn seinen gültigen Ausdruck gefunden. »Frage doch nach den früheren Tagen, die vor dir gewesen sind, von den Tagen an, da Gott Menschen auf der Erde schuf, ... ob je ein Gott versucht hat, herzukommen und sich ein Volk mitten aus einem anderen Volk herauszuholen ... durch große ... Taten, wie ... Jahwe, euer Gott, ... in Ägypten für euch getan hat. Du hast es erfahren dürfen, damit du erkennest, daß Jahwe allein Gott ist und keiner sonst« (Dtn 4,32-35). Von den geschichtlichen Erfahrungen her wird auch die Verpflichtung des Gesetzes begründet: »Er demütigte dich und ließ dich hungern und speiste dich mit Manna, ... um dir kundzutun, daß der Mensch nicht vom Brot allein lebt; vielmehr von allem, was der Mund Jahwes hervorbringt, lebt der Mensch« (8,3).

[160] Vgl. *H. Haag*, Gedächtnis I, in: LThK² IV, 570-572.

lich ein *zikkārōn*, ein Gedächtnis, genannt (Ex 12,14). Damit ist mehr gemeint als eine bloße Erinnerungsfeier. Vielmehr soll die einzigartige, der Vergangenheit angehörende Heilstat Gottes, die Erlösung aus der Knechtschaft des Pharao, rituell vergegenwärtigt werden, und dadurch sollen die Feiernden in dieses Heilsgeschehen einbezogen werden und selbst an der Erlösung Anteil erhalten. Am deutlichsten ist dies wohl ausgesprochen in Ex 13,3f: »Gedenket dieses Tages, an dem ihr aus Ägypten gezogen seid, aus dem Sklavenhaus; denn mit starker Hand hat euch Jahwe von dort herausgeführt. Nichts Gesäuertes soll gegessen werden. *Heute* zieht *ihr* aus.« Durch die sakramentale Gedächtnisfeier wird die Erlösungstat Jahwes für alle künftigen Geschlechter zu einem stets neuen »Heute«.[161]

b) Umstiftung

Indem Israel die Feste historisierte, hat es sie umgedeutet oder »umgestiftet«.[162] Beim Pesach wurde diese Umdeutung oder Umstiftung begünstigt durch die providentiellen Umstände, unter denen sich der ehrwürdige Ritus am Vorabend des Auszugs abwickelte und die die ältesten Quellen in Ex 12,21-23.27b.29-39 in epischer Diktion beschreiben.[163] Innerhalb dieser Umstände war ein Ansatz zur Historisierung einerseits gegeben durch die Ex 12,21-23 ausgesprochene Beziehung des schützenden Blutritus zur letzten Plage, der Tötung aller ägyptischen Erstgeburt, andererseits durch den

---

[161] Israel hat damit ein für allemal den Weg gewiesen, an den sich das Gottesvolk bei der Feier seiner Feste zu halten hat. Diese müssen immer Gedächtnis *heilsgeschichtlicher Ereignisse* sein. Die Fehlentwicklung, einzelne religiöse *Wahrheiten* zum Thema von Festen zu machen, führte zur Zerstörung des Kirchenjahres und öffnete jeder Art von liturgischen Verirrungen Tür und Tor.

[162] Der treffende Ausdruck »Umstiftung« wird von *H. Schürmann* für das Verhältnis der Eucharistiestiftung Jesu zum jüdischen Paschamahl gebraucht (Der Abendmahlsbericht Lucas 22,7-38 als Gottesdienstordnung, Gemeindeordnung, Lebensordnung, Paderborn 1957, 29. 89.92).

[163] Sicher stellen diese Textgrößen das älteste Überlieferungsgut dar, wie immer sie im einzelnen den Quellen J, E (L, N) zuzuweisen sein mögen (vgl. dazu besonders *Fohrer* [Anm. 78] 79-89).

singulären Aufbruchscharakter, der dem Pesach in der Situation des Aufbruchs aus Ägypten zukam.[164] Selbst der Name des Festes, *pesaḥ*, der sich ursprünglich auf ein kultisches »Springen« bezog, wird in diesen Umdeutungsprozeß einbezogen; er bedeutet inskünftig, daß Jahwe die Häuser der Israeliten schonend »übersprungen« habe (Ex 12,13). Das Blut, mit dem die Türpfosten und die Oberschwelle bestrichen werden, wird damit in Verbindung gebracht, daß Jahwe, als er die Ägypter schlug, die Israeliten verschonte (12, 27a; vgl. 12,13.23). Die Bitterkräuter, die einst das nächtliche Mahl der Nomaden würzten, erinnern fortan an die Bitternis der ägyptischen Knechtschaft[165] und die ungesäuerten Brote an das »Elendsbrot« Ägyptens (Dtn 16,3) und an die Hast, mit der die Israeliten aufbrachen und die ihnen keine Zeit ließ, ihr Brot durchsäuern zu lassen (Ex 12,39; 13,3.8). Das Fest wird im Frühling begangen, weil Israel im Frühling aus Ägypten zog; es besteht in einer nächtlichen Feier, weil der Auszug bei Nacht erfolgte (Dtn 16,1).[166]
Alle diese Deutungen sind offensichtlich nachträgliche Umdeutungen, Interpretationen eines schon vor dem Erscheinen der Jahwereligion praktizierten Ritus in heilsgeschichtlichem Sinn. Aber wir ha-

---

164 Durch die Verbindung mit der letzten Plage als einem integrierenden Element der Auszugsüberlieferung ist das Pesach schon in der ältesten uns greifbaren Tradition zumindest indirekt mit dem Auszug verknüpft. Somit wird man *Fohrer* schwerlich zustimmen können, der in Dtn 16,1-8 den ältesten datierbaren Beleg für die »historisierende Beziehung des Passa auf die Auszugsgeschichte« sehen will (ebd. 92); zum Alter dieser Kombination vgl. jetzt auch *Laaf* (Anm. 28) 22-25.

165 »Rabban Gamliel sagt: Jeder, der nicht diese drei Dinge am Pesach bespricht, hat sich nicht seiner Pflicht entledigt, nämlich Pesach, Mazze und Bitterkräuter. Pesach: weil Gott an den Häusern unserer Väter in Ägypten vorübergegangen ist. Mazze: weil sie erlöst wurden. Bitterkräuter: weil die Ägypter das Leben unserer Väter in Ägypten verbitterten« (Mischna, Pesachim X,5).

166 Bemerkenswert ist, daß die Bestimmungen über die Weihung der Erstgeburt (Ex 13,11-16, vgl. 34,19f; 13,2) nicht mit dem Pesach in Beziehung gebracht werden. Für ihre heilsgeschichtliche Begründung dient im Exoduskomplex das Überlieferungselement von der Tötung der ägyptischen Erstgeburt als Ansatz (Ex 13,14f, vgl. 12,29). Somit dürften die Autoren im Recht sein, die bestreiten, daß das Pesachopfer ein Erstgeburtsopfer war (vgl. Anm. 153).

ben es bei solchen Umdeutungen mit einem Prozeß zu tun, der theologisch durchaus legitim ist. Jedes Volk und jedes religiöse Bekenntnis liebt seine Traditionen und bemüht sich, sein Brauchtum so lange als möglich zu bewahren. Wenn ein Brauch durch die Veränderung der Verhältnisse seine Funktion nicht mehr erfüllen kann, ist es nur vernünftig, ihm einen neuen Sinn zu geben, besonders wenn das religiöse und soziale Leben dadurch eine Bereicherung erfährt. In der katholischen Liturgie finden sich ungezählte Zeremonien und Einrichtungen, denen ein symbolischer Sinn zugesprochen wird, weil sie ihre ursprüngliche praktische Bedeutung verloren haben (z. B. Kerzen, Weihrauch, Händewaschung). Beim Pesach stellen diese Umdeutungen ein Stück wachsender Offenbarung dar. Sie nahmen die alte Kultfeier in den Dienst der Erlösungstheologie und machten daraus ein Bekenntnis zu dem Gott, der seinem Volk zum Heil ward (vgl. Ex 15,2). Von Geschlecht zu Geschlecht bezeugt das Pesach dieses Heil und *bewirkt* es zugleich als dessen sakramentales Gedächtnis. Damit bereitet das Pesach Israels das Pascha der Kirche vor.

So sind bei der Umstiftung des Pesach im Schoße Israels die charakteristischen Züge des alten nomadischen Ritus beibehalten worden. Das Fest muß beim ersten *Vollmond* des Frühlings begangen werden, somit am Abend des 14. Tages des ersten Jahresmonats (Ex 12, 2.6). Der Name dieses Monats hat, wie die Namen der übrigen Monate, im Verlauf der Geschichte Israels gewechselt. In alter Zeit hieß er der »Ährenmonat« (*ḥōdeš hā 'ābīb*: Ex 13,4; 23,15; 34,18; Dtn 16,1), nach dem Exil erhielt er den babylonischen Namen Nisan. Die Sitte, die Monate einfach mit Zahlen zu benennen, kennzeichnet die letzte vorexilische Zeit.[167] Das Pesachgesetz von Ex 12 legt Wert darauf, daß mit diesem Monat auch das Jahr beginnt (Vs. 2). Damit soll wohl nicht nur der unter Jojakim (608-598 v. Chr.) eingeführte babylonische Kalender mit seinem Jahresbeginn im Frühling sanktioniert, sondern zugleich eine alte nomadische Tradition bekräftigt werden; für die Nomaden bedeutet der

---

[167] Vgl. *Elliger* (Anm. 85) 313. Zur Geschichte der Monatsnamen siehe auch *R. de Vaux*, Das Alte Testament und seine Lebensordnungen I, Freiburg i. Br. ²1964, 294-299.

Frühling das Wiedererwachen des Lebens.[168] Nach der Seßhaftwerdung hatten ja die Israeliten den bäuerlichen Kalender Kanaans mit seinem Jahreswechsel im Herbst übernommen, wie er sich besonders in den beiden ältesten Festkalendern Ex 23,14-17 und 34, 18-23 widerspiegelt; denn in den klimatischen Verhältnissen Palästinas stellt die Ernte am Ende des Sommers einen Abschluß dar und markiert das Einsetzen der Winterregenzeit die Wiederkehr des Lebens (vgl. Ex 23,16; 34,22).[169]

Nomadischer Tradition entspricht in der israelitischen Gesetzgebung auch die Bestimmung, daß die Opfertiere für das Pesach nur aus dem Kleinvieh genommen werden dürfen, aus den Schafen oder aus den Ziegen, der materiellen Subsistenz der wandernden Hirten (12,3-5). Als einzige Zubereitung ist das Braten des Tieres am Feuer erlaubt, unter ausdrücklichem Verbot, die Knochen zu zerbrechen (12,8f.46). Die vorgeschriebene »liturgische« Gewandung, die die Feiernden dabei tragen, ist das traditionelle Kleid der wandernden Hirten (12,11). Allerdings war das Wanderkleid nur noch eine Erinnerung an vergangene Zeiten. Durch die Seßhaftwerdung war ja die Bindung an die alten Wüstenheiligtümer verlorengegangen,[170] und so wurde das Pesach zu einem ausgesprochenen Familienfest. In den vordeuteronomischen Pesachtraditionen wird nirgendwo ein Heiligtum erwähnt.[171] Der liturgische Raum ist das Wohnhaus, die Kultgemeinde ist die Hausgemeinschaft (12,3f.46). Auch von einem amtlichen Priester ist nicht die Rede, vielmehr versieht der Hausvater die Rolle des Liturgen.

---

168 Vgl. S. 17f.

169 Diese Auffassung lebt bei den Arabern Palästinas bis zur Gegenwart fort. *G. Dalman* zitiert den Spruch: »Das Ende des Jahres ist das Ende des Sommers, der Anfang des Jahres ist der Anfang der Regenzeit« (Arbeit und Sitte in Palästina I, Gütersloh 1928, Nachdruck Hildesheim 1964, 23).

170 Vgl. Anm. 144.

171 Immerhin sind die Überlegungen von *F. Horst*, Das Privilegrecht Jahves, Göttingen 1930, 85f, nicht von der Hand zu weisen, ob sich nicht vielleicht auch im Kulturland das Pesach wieder an Lokalheiligtümer geheftet haben könnte. Angesichts des Kampfes, den das Dtn gegen diese Lokalheiligtümer führte, wäre dann die von ihm vorgenommene Zentralisierung des Pesach auf den Tempel von Jerusalem (vgl. Kap. V) um so verständlicher.

Damit ist uns auch klar geworden, daß die liturgische Anweisung *Ex 12,1-14* uns wesentliche Elemente des Pesachritus in ihrer ältesten Form bewahrt hat. Wir würden dies nicht ohne weiteres erwarten, denn der Abschnitt 12,1-14 gehört der Priesterschrift an, die unter den vier literarischen Hauptquellen des Pentateuch am spätesten redigiert wurde. Lange wurde deshalb ihr geschichtlicher Wert gering eingeschätzt. Erst in neuerer Zeit ist mehr und mehr erkannt worden, daß sie, wenn auch der Redaktion nach die jüngste Schicht, uns doch sehr oft die ältesten Materialien bewahrt hat. G. von Rad hat dies in seiner bahnbrechenden Schrift »Die Priesterschrift im Hexateuch« nachdrücklich betont: »Darf man bei so geringer Kenntnis der äußeren Herkunft eines Literaturdokumentes nach dessen Alter fragen? Vor allem aber: Ist diese bis zum Überdruß gestellte Frage bei einer Literatur, die aus den behutsam bewahrenden Priesterhänden hervorgegangen ist, überhaupt so eindeutig zu beantworten? ... Daß P ungleich altertümlichere Traditionen und Anschauungen enthält als etwa das Deuteronomium, bedarf keines Beweises. Und trotzdem ist es nicht ausgeschlossen, daß die letzte literarische Gestalt, in der er uns überkommen ist, zeitlich unter das Deuteronomium herunterreicht«.[172]

Wie wir bemerkten, sieht das priesterliche Pesachgesetz unter anderem vor, daß zu dem Mahl ungesäuertes Brot gegessen werden soll (12,8). Damit wurde aus der Hirtenkultur stammendes, durch die praktischen Umstände nomadischer Lebensweise bedingtes Brauchtum zur Vorschrift erhoben.[173] Um so mehr sind wir erstaunt, anschließend an die Pesachverordnung eine weitere Verordnung zu finden, in der bestimmt wird, daß vom Pesachmahl an *sieben Tage lang* ungesäuertes Brot gegessen werden soll (12,15-20). In beiden Fällen wird das gleiche Wort *maṣṣōt* gebraucht.[174] Dennoch haben

---

[172] Die Priesterschrift (Anm. 87) 189. Ähnlich *Cazelles:* »Il faut le rappeler, cette législation, bien qu'elle soit la dernière venue, est souvent celle qui s'appuie le plus sur le passé« (DBS V, 519).

[173] Vgl. S. 52. Interessen ritueller Reinheit des Kultmahles haben sich gewiß erst später in den Vordergrund geschoben.

[174] Die Grundbedeutung von *maṣṣōt* ist vermutlich »Fadbrot«. Die griechische Bibel gibt es mit ἄζυμα wieder. Zum Ganzen vgl. H. Windisch,

die ungesäuerten Brote der Verse 15-20 ursprünglich nichts mit denen von Vers 8 zu tun. Denn handelt es sich beim Pesach (das nur eine Nacht dauert) um ein typisches Nomadenfest, das somit aus der vorkanaanäischen Zeit Israels stammen muß, so spricht alles dafür, daß das siebentägige Essen der ungesäuerten Brote, das *Mazzenfest,* ein agrarisches Fest war, das sich in Israel erst einbürgerte, nachdem die Stämme in Kanaan seßhaft geworden waren. In dem alten bäuerlichen Festkalender Ex 34,18-23 wird unter den drei Hauptfesten des Jahres, an denen alle Männer die Wallfahrt zum Heiligtum zu machen haben, wohl das Mazzen-, nicht aber das Pesachfest erwähnt (Vs. 18).[175]

Obwohl von den Kanaanitern übernommen, muß das Mazzenfest doch in Israel rasch sein eigenes Gepräge erhalten haben. Der beherrschende Ritus scheint ursprünglich die Darbringung der ersten Gerstengarbe gewesen zu sein, die vielleicht den Feldgeistern galt.[176] Bevor dies geschehen war, durfte nichts von der neuen Ernte genossen werden (vgl. Lev 23,10.14). Das erste Brot, das von dieser auf dem Feld bereitet wurde, war ungesäuert, so daß die Darbringung der Erstgarbe organisch in ein Mahl mit ungesäuerten Broten überging. In Israel wird indes das Mazzenfest beharrlich ein *ḥag,* also ein Wallfahrtsfest genannt (Ex 23,15; 34,18; Lev 23,6; Dtn 16,16; 2 Chr 8,13; 30,13.21; 35,17; Esr 6,22), was darauf hindeutet, daß das Fest am Heiligtum begangen wurde. Im Gegensatz zu den Nomaden hatten die Seßhaften keine Schwierigkeit, das Fest auf mehrere Tage auszudehnen. So erscheint dieses schon im ältesten israelitischen Festkalender an die Institution der Woche gebunden und dauert sieben Tage (Ex 34,18a; vgl. 23,15a). Ein bestimmtes Datum wird nicht festgesetzt, da der Beginn der Ernte ja schwankte. Daß das Fest von Sabbat zu Sabbat laufen sollte, wird nicht ausdrücklich gesagt, kann aber daraus erschlossen werden, daß die Darbringung der Erstgarbe auf einen Tag nach dem

---

in: ThW II, 904-908 und *H.-J. Kraus,* Gottesdienst in Israel, München [2]1962, 63-72.

[175] Noch in der ersten Zeit nach der Landnahme scheinen die Israeliten nur *eine* jährliche Wallfahrt zu kennen (vgl. 1 Sam 1,3). Erst unter kanaanäischem Einfluß bürgerten sich drei Jahresfeste ein.

[176] Vgl. *Elliger* (Anm. 85) 314.

Sabbat, also auf einen ersten Wochentag (wiederum ohne bestimmtes Datum) festgelegt wurde (Lev 23,11b.15a).
Die Übernahme des Mazzenfestes durch die landnehmenden Israeliten bedeutete allerdings nicht, daß diese damit das nomadische Pesach aufgaben. Sie feierten es als häusliches, von den Heiligtümern unabhängiges Fest weiter. Daß indes mit dem Übergang zur Agrarkultur das bäuerliche Mazzenfest größere Bedeutung gewann als das nomadische Pesachfest, kann nicht überraschen. Die Kultreform des Josia und die deuteronomische Gesetzgebung, die das Pesach zu einem Wallfahrtsfest machten,[177] was das Mazzenfest bereits war, legten schließlich den Grund für die Verschmelzung der beiden Feste. Damit wurde aber das Mazzenfest an das Datum des Pesach gebunden, das heißt an den Frühlingsvollmond, und konnte somit nicht mehr von Sabbat zu Sabbat laufen.[178] Der Sabbat fiel auf einen wechselnden Tag innerhalb der Pesachwoche, was in frührabbinischer Zeit zu heftigen Diskussionen über das Datum der Darbringung des Omer, der Erstgarbe, führte. Während die Sadduzäer das Wort Sabbat in Lev 23,11 im herkömmlichen Sinn verstanden, bezogen es die Pharisäer auf den ersten Feiertag der Mazzenwoche (den 15. Nisan), so daß bei dieser Interpretation die Erstgarbe am 16. Nisan darzubringen war.[179]
Allerdings wurden die beiden Feste auch nach ihrer Vereinigung zunächst noch als zwei getrennte Feste empfunden. Wenn, wie wir vorhin feststellten, die Priesterschrift die alten nomadischen Traditionen am reinsten bewahrt hat, werden wir auch erwarten dürfen, daß bei ihr die ursprüngliche Trennung von Pesach und Mazzot noch am besten wahrnehmbar ist. Dem ist tatsächlich so. Das greifbarste Beispiel finden wir gerade in Ex 12, das die grundlegende Pesachvorschrift enthält. Denn hier handelt die Anweisung Verse 1-14 ausschließlich vom Pesach, während das Gesetz für das Mazzenfest ihr als selbständige Größe folgt (Vss. 15-20). Die Priesterschrift gibt also deutlich zu verstehen, daß Mazzot etwas nachträglich zum Pesach Hinzugekommenes ist. In einem priesterlichen Pa-

---

177 Vgl. S. 75.
178 Vgl. *de Vaux,* Lebensordnungen II (Anm. 29) 350.
179 Vgl. *J. H. Hertz,* Pentateuch und Haftaroth III: Leviticus, Berlin 1938, 245f.

ralleltext zu Ex 12,1-14, nämlich Num 9,1-14, ist überhaupt nur vom Pesach die Rede, also von der nächtlichen Feier vom 14. auf den 15. des ersten Monats. Das siebentägige Mazzenfest wird dabei mit keinem Wort erwähnt. Werden jedoch in der Priesterschrift beide Feste genannt, so geschieht dies in betonter Trennung, wie etwa im Festkalender des Heiligkeitsgesetzes Lev 23,5f[180]: »Im ersten Monat, am 14. des Monats, in der Abenddämmerung, ist Pesach für Jahwe. Und am 15. Tag dieses Monats ist Mazzenfest für Jahwe. Sieben Tage müßt ihr Mazzen essen.«
Ähnlich drücken sich die übrigen Bestimmungen der priesterlichen Literatur aus, die vom Pesach handeln: der Opferkalender Num 28f (28,16f: »Im ersten Monat, am 14. Tag des Monats, ist Pesach für Jahwe. Am 15. Tag dieses Monats ist ein Fest. Sieben Tage lang soll man Mazzen essen«) und die wohl priesterschriftlicher Endredaktion zuzuweisende Notiz Jos 5,10f (»sie hielten das Pesach ... und aßen *am Tag nach dem Pesach* ungesäuerte Brote und geröstetes Korn«).[181] Denselben Eindruck vermitteln uns auch die älteren Quellen. Die jahwistische Pesachverordnung Ex 12,21-23.27b redet ausschließlich vom Pesach. Später folgt dieser Verordnung eine solche über die *maṣṣōt* (13,3-10), die wenigstens in ihrem Kern jahwistisch sein dürfte, wenn sie auch in ihrer jetzigen Form eine deuteronomistische Überarbeitung darstellt. Hingegen spüren wir in der entscheidenden Pesachanweisung des Deuteronomiums (Dtn 16,1-8) das Bemühen, die beiden Feste in eines zu verschmelzen. Für die deuteronomischen Reformatoren muß dieses Interesse (aus Gründen, die uns nachher beschäftigen werden[182]) sehr akut gewesen sein. Schließlich ist bei Ezechiel die Verschmelzung praktisch perfekt.[183]

3. Pesachfeier in Gilgal?

Wir stießen vorhin schon auf den Bericht über die erste Pesachfeier Israels nach der Überschreitung des Jordans, Jos 5,10-12. Diese Er-

---

180 Von *Elliger* (Anm. 85) 307, Ph^3 zugeordnet.

181 Vgl. S. 71.

182 S. 73-82.

183 Vgl. S. 91f.

zählung scheint einen alten Kern zu enthalten und hat zu interessanten kultgeschichtlichen Überlegungen Anlaß gegeben. Wir haben in ihr ja die erste Erwähnung eines Pesach, das Israel nicht mehr in der Wüste, sondern im *Kulturland* feiert, zugleich aber auch die erste Erwähnung, daß *nach* dem Pesach noch weiter ungesäuertes Brot gegessen wurde.

Es kann hier nicht auf die Frage eingegangen werden, wieweit der ganze Komplex Jos 2-6 von einer am Heiligtum von Gilgal haftenden kultischen Begehung her zu verstehen ist. Bekanntlich hat vor allem H.-J. Kraus wahrscheinlich zu machen versucht, daß sich in Jos 3f ein kultisches Zeremoniell widerspiegelt, in dem die wunderbare Durchführung durch das Meer und der Einzug ins verheißene Land in einem Jordandurchzug liturgisch dargestellt wurden: »Israel durchschritt hinter der Lade Jahwes den Jordan und betrat dann das verheißene Land«[184]. Eine breite Gefolgschaft hat Kraus vor allem darin gefunden, daß dem Bericht über das in Gilgal gefeierte Pesach Jos 5,10-12 eine alte Kulttradition von Gilgal zugrunde liege.[185] Kraus selbst hält in diesem Text lediglich das Datum »am 14. Tag des (ersten[186]) Monats« für eine spätere Hinzufügung;[187] hingegen sieht H. Wildberger alles, was sich auf das Pesach

---

[184] Gilgal. Ein Beitrag zur Kultusgeschichte Israels: VT 1 (1951) 181-199. *Ders.*, Zur Geschichte ... (Anm. 28) bes. 54-58. *Ders.*, Gottesdienst (Anm. 174) 179-193, obiges Zitat 185. Kraus' These ist vor allem von *J. A. Soggin*, Gilgal, Passah und Landnahme, in: VTSuppl. 15, Leiden 1966, 263-277, verteidigt und weiter ausgebaut, von *E. Vogt*, Die Erzählung vom Jordanübergang Josue 3-4: Bb 46 (1965) 125-148, und *F. Langlamet*, Gilgal et les récits de la traversée du Jourdain, Paris 1969, nuanciert, von *R. Schmid*, Meerwunder- und Landnahme-Traditionen: ThZ 21 (1965) 260-268, bes. 265-267, kritisiert worden.

[185] So *de Vaux*, Sacrifices (Anm. 43) 8: »Ce passage a parfois été considéré comme tardif, il semble cependant, sous une rédaction récente, conserver une vieille tradition du sanctuaire de Gilgal.« Dagegen *Kutsch* (Anm. 28) 20f.

[186] Vgl. Jos 4,19; überdies haben sehr viele Hss. den Zusatz *bārīʾšōn*, vgl. Biblia Hebraica^{3}.

[187] Gilgal (Anm. 184) 197. Auch *Noth*, Josua^{2} (Anm. 88) z. St., weist nur das Datum und die Worte *b^{e}ʿeṣem hajjōm hazzeh* der P-Quelle zu.

bezieht, für sekundär an, das heißt den ganzen Vers 10 und in Vers 11 die Worte »am Tag nach dem Pesach«[188].

Daß wir es in Jos 5,10-12 mit einem selbständigen Überlieferungselement zu tun haben, dürfte unbestritten sein. Dennoch scheint die Forschung der Versuchung erlegen zu sein, es zu isoliert zu betrachten und den literarischen Zusammenhang zu wenig zu berücksichtigen. Der Text lautet in der masoretischen Überlieferung:

»(10) Und die Söhne Israels lagerten in Gilgal, und sie hielten das Pesach am 14. Tag des (ersten) Monats am Abend in den Steppen von Jericho. (11) Und sie aßen vom Ertrag des Landes am Tag nach dem Pesach ungesäuerte Brote und geröstetes Korn, an eben diesem Tag. (12) Und das Manna hörte auf am folgenden Tag, als sie vom Ertrag des Landes aßen, und es gab für die Söhne Israels kein Manna mehr. In jenem Jahr aßen sie von der Frucht des Landes Kanaan.«

Was uns zunächst auffällt, ist, daß Josua beim ganzen Vorgang mit keinem Wort erwähnt wird. Dies würde auf ein hohes Alter des Überlieferungskerns hinweisen; denn daß Josua erst sekundär in die Gilgal-Tradition hineingekommen ist, ist verschiedentlich festgestellt worden.[189] Indes muß es als fraglich erscheinen, ob es sich in unserem Fall überhaupt ursprünglich um eine Gilgal-Tradition handelt. Bekanntlich fehlen in der Septuaginta die ersten Worte »Und (die Söhne Israels) lagerten in Gilgal«. Der Bericht setzt dort sofort ein mit der Pesachfeier in den Steppen von Jericho. Mit Gilgal hat die ganze Sache in der Septuaginta nichts zu tun.

Aber ganz abgesehen von textkritischen Bedenken lassen interne Gründe es im höchsten Maß als fraglich erscheinen, daß unser Abschnitt eine Kulttradition von Gilgal enthält. Zunächst befremdet die doppelte Ortsangabe »Sie lagerten in Gilgal und hielten das Pe-

---

[188] »Ursprünglich kann nur vom Mazzenfest in Gilgal gesprochen worden sein« (Jahwes Eigentumsvolk, Zürich 1960, 52).

[189] Vgl. vor allem *A. Alt,* Josua (Beih. ZAW 66) Gießen 1936, 13-29 = Kleine Schriften I, 176-192. *Noth,* Josua[2] (Anm. 88) 21. *C. A. Keller,* Über einige alttestamentliche Heiligtumslegenden II: ZAW 68 (1956) 85-97, hier 93. *J. Dus,* Die Analyse zweier Ladeerzählungen des Josuabuches, Jos 3-4 und 6: ZAW 72 (1960) 107-134, bes. 127. *Langlamet* (Anm. 184) passim und bes. 95-97.

sach . . . in den Steppen von Jericho«[190]. Daß die Israeliten »in Gilgal, an der östlichen Flurgrenze[191] von Jericho, lagerten«, wurde ja schon in 4,19b gesagt. Jene Bemerkung gehört zur Sittim-Gilgal-Überlieferung, die von einem Heiligtum in Gilgal nichts wissen will, sondern schnurstracks auf Jericho zusteuert.[192] Die logische Fortsetzung des Itinerars Sittim-Jordan-Gilgal-Jericho wäre somit »und sie[193] lagerten in (den Steppen[194] von) Jericho«, womit bereits die Belagerung dieser Stadt begonnen hätte,[195] deren Eroberung in der Folge erzählt wird.[196] Durch das Essen von ungesäuertem (das heißt an Ort und Stelle abgeerntetem und gebackenem) Brot und Röstkorn[197] ergreifen die landnehmenden Israeliten von ihr schon symbolisch Besitz. Zudem stärken sie sich durch diese improvisierte Verpflegung für die unmittelbar bevorstehende erste kriegerische

---

190 Mit Recht bemerkt *J. A. Soggin,* eine der beiden Ortsangaben sei überflüssig: entweder »Gilgal« oder »die Steppen von Jericho«; die zweite Angabe sei aber die *lectio difficilior* (Le livre de Josué, Neuchâtel 1970, 60f).

191 So mit *Noth,* Josua² (Anm. 88) 32.

192 Vgl. *Langlamet* (Anm. 184) bes. 140f.

193 Daß im Sittim-Gilgal-Bericht immer vom »Volk« *(ʿam)* die Rede ist (»Es ist ein Kriegszug, und *ʿam* bedeutet den ›Heerbann‹« [*Vogt,* Anm. 184, 130]), in 5,10 aber von den »Söhnen Israels«, hindert nicht, 5,10 als Fortsetzung von 4,19b anzusehen. »Söhne Israels« kann in 5,10 ruhig auf das Konto der Überarbeitung (bzw. der Anpassung an den Sprachgebrauch der vorangehenden Vss. 1-9) gesetzt werden, zumal auch in 4,19b *ʿam* nicht wiederholt wird.

194 Das relativ späte Vorkommen von *ʿarbōt* (außer an unserer Stelle noch 4,13; 2 Kön 25,5; Jer 39,5; 52,8) legt die Frage nahe, ob nicht im ältesten Bericht von einem Lagern in Jericho selbst die Rede gewesen sein könnte. Dann hätten die Israeliten *dort* Mazzen und Röstkorn gegessen. Die Anpassung an den Eroberungsbericht Kap. 6 wäre dann der Anlaß gewesen, »Jericho« in die »Steppen von Jericho« umzuwandeln.

195 »lagern« *(ḥnh)* wird im ganzen Buch Jos immer in einem militärischen Kontext gebraucht (4,19; 8,11; 10,5.31.34; 11,5).

196 6,1 wäre dann als Fortsetzung von 5,10, nicht von 4,19b *(Vogt* [Anm. 184] 129 Anm. 2) anzusehen.

197 Auf den singulären Charakter der Wendung *maṣṣōt wᵉqālūj* ist verschiedentlich hingewiesen worden. »Sie weicht von der üblichen Ausdrucksweise der Priesterschrift ab und weist in frühe Zeit« (*Kraus,* Gilgal [Anm. 184] 197).

Operation im Lande. Die Erwähnung von Gilgal in Vers 10 dürfte durch die beiden im jetzigen Textzusammenhang vorangehenden, sich auf Gilgal beziehenden Ätiologien (5,2-8 und 5,9) veranlaßt worden sein.

Von einem kultischen Mazzenessen, erst recht von einem Pesach, scheint demnach kaum etwas übrig zu bleiben, am wenigsten von einem solchen in Gilgal. Indes ist die Notiz über das Essen von Mazzen und Röstkorn nach zwei Richtungen hin theologisch weitergesponnen worden. Sie hat die Überlegung von Vers 12 veranlaßt, wonach die Mannaspende mit dem Tag aufgehört habe, da die Israeliten von den Erträgnissen des Landes Kanaan aßen. Überdies konnte ein später Redaktor nicht umhin, die ursprünglich durchaus unkultische Wendung *maṣṣōt wᵉḳālūj* auf das traditionelle Mazzenfest zu beziehen; und da inzwischen auch die Verbindung von Mazzot mit Pesach perfekt geworden war, mußte die Erwähnung der Mazzot unweigerlich auch die des Pesach (mitsamt der priesterschriftlichen Datierung) nach sich ziehen. Als Beleg für ein in Gilgal zentral gefeiertes und die Landnahme kultisch reaktivierendes Pesach kann somit Jos 5,10-12 schwerlich angesehen werden.[198]

[198] *Füglister* (Anm. 39) 27f; *Kraus,* Gottesdienst (Anm. 174) 189-191; *Soggin,* Gilgal (Anm. 184), bes. 273f. Gänzlich unhaltbar dürfte die Ansicht von *W. H. Irwin* sein: »C'est la Pâque qui est la fête de l'alliance à Gilgal ..., à laquelle fut adjointe à un certain moment la fête des Massoth« (Le sanctuaire central israélite avant l'établissement de la monarchie: RB 72 [1965] 161-184, hier 174). *Laaf* (Anm. 28) ist mit der Feststellung »im ursprünglichen Text war von einem Massothfest wahrscheinlich nicht die Rede« (90) auf einer guten Fährte. Jedoch schreibt auch er das Pesach in den Steppen von Jericho zu Unrecht einem alten Fragment zu (91, vgl. auch 94.114.131). *A. George,* Les récits de Gilgal en Josué V, 2-15, in: Mémorial J. Chaine, Lyon 1950, 169-186, möchte im Pesach von Gilgal das Interesse israelitischer Geschichtstheologie sehen, die Landnahme als neue Phase der Heilsgeschichte ebenso mit einem Pesach beginnen zu lassen, wie die Phase der Erlösung aus Ägypten mit einem solchen begonnen hatte (177).

V. Das Pesach zur Zeit des zentralisierten Kultes

1. Die deuteronomische Reformbewegung

Nach dem Untergang des Nordreiches (722 v. Chr.) setzten die jahwistisch gesinnten Kreise des Südreiches alles daran, das religiöse Patrimonium Israels zu retten und zu neuer Geltung zu bringen. Diesem Ziel dienten die Kultreformen der Könige *Hiskia* (725-697) und *Josia* (639-609), von denen uns das Königsbuch (Hiskia: 2 Kön 18,3-6; Josia: 22,1-23,27) und noch ausführlicher die Chronik (Hiskia: 2 Chr 29-31; Josia: 34f) berichten.

Die religiöse Politik des Hiskia war einerseits bestimmt durch den Zusammenbruch des Nordreiches, für den die orthodoxen Kreise den Abfall von Jahwe und die nach rein menschlichen Rücksichten betriebene Außenpolitik verantwortlich machten, andererseits durch den assyrischen Druck, der in Juda nicht nur einen nationalen, sondern auch einen religiösen Widerstand provozierte;[199] Juda sollte sich wieder auf seine eigentliche Kraft, die Jahwereligion, besinnen. Hiskia tat deshalb alles, um kostbares, aus dem Nordreich gerettetes religiöses Erbgut zu sammeln und zu erhalten. Diese Sammelarbeit muß sich auf alle großen Gattungen literarischer Überlieferung bezogen haben[200]: geschichtliche (das wohl um die Mitte des 8. Jh. im Nordreich entstandene elohistische Geschichtswerk[201]), prophetische (Reden der Propheten, die im Nordreich gewirkt hatten: Amos, Hosea), weisheitliche (Spr 25-29; vgl. Spr 25,1) und gesetzliche Texte. Wenn, wie die neuere Forschung überzeugend dargetan hat,[202] das Deuteronomium weitgehend Gesetzesgut

---

199 Vgl. *J. Bright,* Geschichte Israels, Düsseldorf 1966, 285f.

200 Vgl. *G. Ricciotti,* Storia d'Israele I, Torino ^{4}1947, 445-447.

201 Vgl. *L. Ruppert,* Der Elohist — Sprecher für Gottes Volk, in: J. Schreiner (Hrsg.), Wort und Botschaft, Würzburg 1967, 108-117, hier 110.

202 *A. C. Welch,* The Code of Deuteronomy, London 1924. *A. Bentzen,* Die josianische Reform und ihre Voraussetzungen, Kopenhagen 1926. *G. von Rad,* Deuteronomium-Studien, Göttingen ^{2}1948, bes. 48. *Ders.,* 5. Mose (Anm. 76) 18f. *A. Alt,* Die Heimat des Deuteronomiums (1953), in: Kleine Schriften II, 250-275 (Alt nimmt, wie von Rad, eine Entstehung des Dtn im Nordreich *nach* dessen Untergang an).

enthält, das im Nordreich in Geltung war, dann kann es kein anderer gewesen sein als Hiskia, der dieses Gesetzesgut zunächst gesammelt und ihm in Jerusalem Heimatrecht gewährt hat. Allerdings brauchte es Zeit, um die Rechtstraditionen des Nordens mit denen des Südens zu dem geschlossenen Gesetzeswerk zu verbinden, das wir im deuteronomischen Gesetz vor uns haben.[203] Die zwar nicht konsequente,[204] aber doch entscheidende Durchführung dieses Gesetzes schließlich war Gegenstand der religiösen Reform des Josia.

2. Das Pesachgesetz Dtn 16,1-8

a) Ein neues Gesetz

Von diesem geschichtlichen Zusammenhang her haben wir auch das bereits erwähnte Pesachgesetz Dtn 16,1-8 zu verstehen.[205] Das Bemühen der deuteronomischen Gesetzgeber, das nomadische Pesach und das bäuerliche Mazzenfest zu *einem* Fest zu verschmelzen und dieses zugleich an den Tempel zu binden, führte zu einem Gesetzestext, der einen sehr unausgeglichenen Eindruck macht. Wir dürfen uns freilich nicht darüber wundern, daß es nicht vollkommen gelang, die Achtung vor dem alten Herkommen und die von den neuen Interessen diktierten Maßnahmen in Einklang zu bringen. Die dabei auftretenden Schwierigkeiten haben im Text deutliche Spuren hinterlassen. Wir werden im folgenden den verschiedenen

---

H. Cazelles, Loi israélite, in: DBS V, 497-530, hier 518. *Ders.,* Le Deutéronome, Paris ³1966, 13f.

203 »Dieses Gesetz ist vermutlich im Laufe des 7. Jh.s v. Chr. unter Verwendung zahlreicher und verschiedenartiger älterer Zusammenstellungen von Rechtssätzen zusammengestellt und mit predigtartigen paränetischen Ausführungen durchsetzt worden mit der Absicht, das alte Gottesrecht für die Gegenwart neu zu formulieren und zur Geltung zu bringen« *(M. Noth,* Geschichte Israels, Göttingen ⁶1966, 249). Ähnlich *H. H. Rowley,* der es für wahrscheinlich hält »that Deuteronomy was written early in the reign of Manasseh« (The Prophet Jeremiah and the Book of Deuteronomy, in: Studies in Old Testament Prophecy, Edinburgh 1950, 157-174, hier 164).

204 Vgl. *Alt,* Die Heimat ... (Anm. 202) bes. 254-256.

205 S. 30-32.

Schichten, die sich im deuteronomischen Pesachgesetz wahrnehmen lassen, Beachtung zu schenken haben.[206]

Das Gesetz lautet:

»(1) Beobachte den Monat Abib und halte Pesach für Jahwe, deinen Gott. Denn im Monat Abib hat dich Jahwe, dein Gott, aus Ägypten herausgeführt bei Nacht. (2) Du sollst Jahwe, deinem Gott, als Pesach Schafe und Rinder opfern an dem Ort, den Jahwe erwählen wird, um seinen Namen dort wohnen zu lassen. (3) Du sollst dazu nichts Gesäuertes essen. Sieben Tage sollst du dazu ungesäuerte Brote essen, Elendsbrot – denn in Hast bist du aus dem Land Ägypten ausgezogen –, damit du des Tages deines Auszugs aus dem Land Ägypten gedenkest dein Leben lang. (4) Es soll bei dir kein Sauerteig zu sehen sein in deinem ganzen Gebiet sieben Tage lang. Und von dem Fleisch, das du am ersten Tag am Abend opferst, soll nichts über Nacht bis zum Morgen bleiben. (5) Du darfst das Pesach in keiner deiner Ortschaften opfern, die Jahwe, dein Gott, dir gibt. (6) Sondern an dem Ort, den Jahwe, dein Gott, erwählen wird, um seinen Namen dort wohnen zu lassen, sollst du das Pesach opfern, am Abend, bei Sonnenuntergang, zur Zeit deines Auszugs aus Ägypten. (7) Du sollst es kochen und essen an dem Ort, den Jahwe, dein Gott, erwählen wird. Am anderen Morgen sollst du umkehren und zu deinen Zelten gehen. (8) Sechs Tage sollst du ungesäuerte Brote essen, und am siebten Tag ist Feiertag für Jahwe, deinen Gott, an dem du keine Arbeit tun darfst.«

Zunächst nehmen wir im deuteronomischen Pesachgesetz vier sehr wichtige Neuerungen wahr:

(1) Als Pesach sollen »Schafe (*ṣō'n:* Kleinvieh, das heißt Ziegen oder Schafe) und Rinder (*bāḳār:* Großvieh)« geopfert werden (Vs. 2a). Als kultfähige Tiere gelten also nicht mehr, wie in alter Zeit, nur Ziegen und Schafe (vgl. Ex 12,3, wo ein *śeh:* Junges von Schaf oder

---

[206] Für eine noch detailliertere Literaranalyse des Gesetzestextes, als sie hier gegeben werden kann, vgl. *Kutsch* (Anm. 28) 10-12; *Horst* (Anm. 171) 81-98; *R. P. Merendino,* Das deuteronomische Gesetz, Bonn 1969, 125-152; *Laaf* (Anm. 28) 73-86. Für die Einheitlichkeit des Textes plädiert *P. Zerafa,* Passover and Unleavened Bread: Angelicum 41 (1964) 235-250, hier 248f.

Ziege gefordert wird), sondern auch Rinder.[207] Daß wir darin eine Anpassung an die veränderte wirtschaftliche Struktur zu sehen haben, liegt auf der Hand. Längst schon war ja Israel aus einem Hirtenvolk ein Bauernvolk geworden.

(2) Das Pesach muß an dem Ort gefeiert werden, »den Jahwe erwählen wird, um seinen Namen dort wohnen zu lassen« (Vs. 2b). Welches Heiligtum das deuteronomische Gesetz damit ursprünglich gemeint hatte, sei hier dahingestellt. Bei der Praktizierung des Gesetzes im Südreich konnte darunter nur der salomonische Tempel in Jerusalem verstanden werden.[208] Zu diesem Heiligtum also soll ganz Israel sich aufmachen und an ihm die Pesachnacht zubringen (Vss. 6.7a). Erst am folgenden Morgen sollen die Kultteilnehmer wieder »zu ihren Zelten«, das heißt nach Hause gehen (Vs. 7b). Das Pesach ist damit wieder wie in der ältesten Zeit ein Wallfahrtsfest geworden, wogegen es dazwischen jahrhundertelang ein Familienfest gewesen war. Durch die Bindung des Festes an das Jerusalemer Heiligtum sollte die jahwistische Reinheit des Ritus garantiert und die Einheit des Volkes gefestigt werden. Immer wird ja in Zeiten der religiösen Bedrängnis und Gefahr im Erlebnis der Einheit eine Quelle der Kraft gesehen und an den Gedanken der Einheit appelliert. Allerdings ist für den deuteronomischen Gesetzgeber die Vorschrift nicht einfach von praktischen Interessen diktiert. Das Gesetz von der Einheit des Kultortes ergab sich für ihn als logische Konsequenz aus dem dogmatischen Grundgesetz von der Einheit Jahwes (Dtn 6,4).[209]

(3) Ausdrücklich ist vom »Opfern« (*zbḥ*; Vss. 2.4.6) des Pesach die Rede, während in der jahwistischen (Ex 12,21) und priesterlichen (Ex 12,6) Pesachverordnung vom »Schlachten« (*šḥṭ*) des Pesach gesprochen wird. Gewiß hatte das Schlachten des Pesachtieres seit älte-

---

[207] *Segal,* (Anm. 95) 205, sucht diesen Befund dadurch zu umgehen, daß er das Wort *ūbāḳār* als »scribal error« ansieht.

[208] Vgl. *Alt,* Die Heimat ... (Anm. 202) 254; *von Rad,* 5. Mose (Anm. 76) 67.

[209] Das Dtn hat aus der »Einsicht in die unteilbare Einheit der Person Jahwes die ethische Konsequenz gezogen« ..., »daß Israel diesem einzigartigen Wesen seines Gottes nur durch die unteilbare Einheit seiner Hingabe an ihn Genüge leisten kann« (*Alt,* ebd. 253).

ster Zeit Opfercharakter. Während aber die Priesterschrift daran interessiert ist, diesen Opfercharakter zu verwischen,[210] spüren wir in der deuteronomischen Gesetzgebung das Bestreben, gerade darauf zu insistieren und das Pesach durch seine Bindung an den Tempel in den Rhythmus des dortigen Opferkultes einzuordnen. Dies ging natürlich wiederum auf Kosten des ursprünglichen familiären Gepräges des Festes.

(4) Ausdrücklich wird erlaubt, das Pesach zu kochen (*bšl* pi.; Vs. 7) und es somit in Stücke zu zerlegen, in formellem Widerspruch zur Bestimmung von Ex 12,9; Num 9,12. Diese Neuerung wurde dadurch notwendig, daß das Opfertier nun auch aus dem Großvieh genommen wurde.[211]

b) Die Frage des Datums

Noch ein bedeutsames Detail fällt im deuteronomischen Pesachgesetz auf: Es wird kein bestimmter Tag für die Feier festgesetzt, sondern nur ganz allgemein gesagt, diese sei im Ährenmonat (*ḥōdeš hā'ābīb*; Vs. 1) zu halten.[212] Es mag sich der Gedanke aufdrängen, der Gesetzgeber habe damit einen zu großen Andrang am Tempel vermeiden wollen; deshalb habe er darauf verzichtet, einen bestimmten Tag vorzuschreiben, und sich auf die Festlegung des Monats beschränkt.[213] Doch kann dies kaum das eigentliche Anliegen der Bestimmung gewesen sein. Denn damit wäre ja gerade die im Gesetz angestrebte Einheit der Kultgemeinschaft empfindlich durchbrochen worden. Wir werden also nach einer anderen Erklärung zu suchen haben.

Es läßt sich nicht übersehen, daß dem deuteronomischen Festgesetz ein agrarischer Kalender zugrunde liegt. Bei der Rekapitulation der Festordnung in Vers 16 ist vom Pesach keine Rede. Vielmehr werden die drei herkömmlichen Agrarfeste aufgezählt: Mazzenfest,

---

210 Vgl. Anm. 46.

211 Wiederum versucht *Segal,* (Anm. 95) 205f, diesen Sachverhalt als »not credible« hinwegzudiskutieren.

212 *E. Auerbach,* Die Feste im alten Israel: VT 8 (1958) 1-18, hier 1f, will hier *ḥōdeš* im Sinn von »Neumond« verstehen; *von Rad,* 5. Mose (Anm. 76) z. St., rechnet wenigstens mit dieser Möglichkeit.

213 Diese Meinung habe ich in DBS VI, 1134 noch vertreten.

Wochenfest und Laubhüttenfest.[214] Wegen der durch klimatische Schwankungen bedingten Unregelmäßigkeit der Ernte läßt sich aber für Agrarfeste kein bestimmter Termin festlegen. Deshalb gewährt auch die deuteronomische Festordnung Freiheit hinsichtlich des Datums dieser Feste; so für das Wochenfest (Vs. 9: sieben Wochen, »nachdem man zum ersten Mal die Sichel an den Halm legt«, was in verschiedenen Gegenden Palästinas zu verschiedenen Zeiten geschah) und für das Laubhüttenfest (wo wir die elastische Bestimmung haben: »wenn du einsammelst von deiner Tenne und von deiner Kelter«; Vs. 13).

Dieser Zug im deuteronomischen Festgesetz macht deutlich, daß es auf den alten agrarischen Festkalender Ex 34,18-23[215] zurückgreift. Es lohnt sich, die beiden Fassungen der vom ersten der drei Jahresfeste handelnden Bestimmung nebeneinanderzustellen:

Ex 34,18	*Dtn 16,1*
Das Mazzenfest sollst du beobachten.	Beobachte den Monat Abib
Sieben Tage sollst du Mazzen essen,	und halte Pesach
wie ich dir geboten habe,	für Jahwe, deinen Gott.
zur Zeit des Monats Abib[216].	
Denn im Monat Abib	Denn im Monat Abib
	hat dich Jahwe, dein Gott,
bist du aus Ägypten gezogen.	aus Ägypten herausgeführt
	bei Nacht[217].

Das in beiden Texten vorkommende Verb »beobachten« (*šmr*), der Hinweis auf den Auszug aus Ägypten (der in Dtn 16,1 im Sinn der deuteronomischen Theologie stärker als Jahwes Werk erscheint denn in Ex 34,18), vor allem aber der nur Ex 23,15; 34,18 einerseits und Dtn 16,1 sowie im frühdeuteronomischen[218] Text Ex 13,4 anderer-

---

[214] Vgl. S. 21.79f.

[215] Wieder aufgenommen im Nachtrag zum Bundesbuch Ex 23,14-17 (vgl. S. 29-31.62f.65.80).

[216] Festgelegt wird nur der Monat, nicht aber ein Termin innerhalb des Monats. Vgl. *Noth*, 2. Mose (Anm. 72) 155.

[217] Der Zusatz »bei Nacht« ist ein Ergebnis der Applizierung von Ex 34,18 auf das Pesach. Die nächtliche Feier des Pesach forderte die Begründung, der Auszug aus Ägypten sei bei Nacht erfolgt.

[218] Vgl. Anm. 234.

seits vorkommende Monatsname Abib lassen mit Sicherheit erkennen, daß der Verfasser von Dtn 16,1 die althergebrachte Bestimmung Ex 34,18 vor Augen hatte, sie aber nun anstatt auf das Mazzenfest auf das Pesach anwandte, getreu seinem Bestreben, das Pesachfest aufzuwerten und das Mazzenfest abzuwerten. Damit entsteht allerdings der Eindruck, auch die Variabilität des Datums, die im alten Gesetz dem Mazzenfest galt, werde auf das Pesach übertragen.[219] In Wirklichkeit kann es aber kaum im Interesse des deuteronomischen Gesetzgebers gelegen haben, den ehrwürdigen Termin des Frühlingsvollmonds, an den die Pesachfeier gebunden war, aufzugeben.[220] So deuten denn auch verschiedene Indizien im Text Dtn 16,1-8 darauf hin, daß eine den Vorschriften entsprechende Durchführung des Pesach/Mazzenfestes notwendig ein festes Datum voraussetzte[221] und daß in der Praxis nicht die Pesachfeier sich nach dem Fallen des Mazzenfestes richtete, sondern vielmehr dieses durch das Pesachdatum fixiert wurde.

c) Altes und Neues im Widerstreit

Allerdings hat das deuteronomische Pesachgesetz seinerseits eine Entwicklung durchgemacht, die sich in dem Text Dtn 16,1-8 noch mit Händen greifen läßt. Auch im deuteronomischen Gesetz dauert das Pesachfest nach altem Brauch und Herkommen nur eine Nacht. Der Pilger ist nach Jerusalem gekommen. Am zutreffenden Abend begibt er sich zum Tempel, um dort das Pesach zu opfern, es in den großen Kesseln kochen zu lassen[222] und es inmitten der Kultgemeinde zu essen, um anderntags den Heimweg anzutreten: »Am anderen Morgen sollst du umkehren und zu deinen Zelten gehen«, heißt es ausdrücklich in Vers 7. Mit dieser Anordnung läßt sich aber Vers 8 sehr schlecht in Einklang bringen, der vorschreibt, daß sich an das Pesach noch eine Woche der ungesäuerten Brote anschließen soll, de-

---

[219] Daß das deuteronomische Pesachgesetz das Datum offen läßt, hat also nichts mit dem »popular approach« des Dtn zu tun, demgegenüber »the calendar was the province of the priests« (*Segal* [Anm. 95] 207).

[220] Vgl. S. 49f.62.88 und Anm. 137.

[221] Vgl. S. 81f und Anm. 235.

[222] Vgl. 1 Sam 2,13ff.

ren letzter Tag als Feiertag mit gemeinsamem Gottesdienst zu begehen sei. Um den Widerspruch zu beheben, ist vorgeschlagen worden, mit den »Zelten« von Vers 7 seien die Zelte gemeint, die die Pilger rings um den Tempel in Jerusalem aufgeschlagen hätten, um in ihnen die Mazzenwoche zuzubringen.[223] Selbst wenn man Vers 7 beim jetzigen Textbestand so verstehen könnte,[224] wäre dies eine Interpretation a posteriori. Ursprünglich meinte Vers 7 eine wirkliche Heimkehr der Festpilger nach Hause.

Im deuteronomischen Gesetz wurde also zunächst mit dem erklärten Willen, das Pesach an die Stelle des Mazzenfestes zu setzen,[225] radikaler Ernst gemacht. Nicht um tagelang das Mazzenfest zu feiern, sollte der Gläubige im Monat Abib zum Heiligtum pilgern, sondern um dort das nächtliche Kultmahl des Pesach zu halten. Diese Verdrängung des Mazzenfestes muß aber auf Widerstand gestoßen sein,[226] was zur Folge hatte, daß dieses in einer späteren Phase wieder in das Kultgesetz einbezogen wurde. Die daraus sich ergebenden Unstimmigkeiten zeichnen sich in unserem Text noch in aller Schärfe ab.[227]

Wie oben schon angedeutet, schließen sich an die Vorschrift über das Pesach Dtn 16,1-8 eine solche über das Wochenfest (Vss. 9-12) und eine weitere über das Laubhüttenfest (Vss. 13-15) an. In Vers 16 wird dann diese ganze Festgesetzgebung nochmals rekapituliert. Noch einmal werden die drei Feste aufgezählt, die als verpflichtende Wallfahrtsfeste zu gelten haben. Zu unserer Überraschung führt hier aber nicht das Pesach die Reihe der drei Feste an, sondern — in merkwürdigem Gegensatz zur Einzelgesetzgebung Verse 1-15 — das Mazzenfest, gefolgt vom Wochen- und Laubhüttenfest.

---

[223] *Kraus,* Zur Geschichte ... (Anm. 28) 59f.

[224] was *Kutsch* (Anm. 28) 13, mit *Horst* (Anm. 171) 91, und *A. Alt,* Zelte und Hütten, in: Alttestamentliche Studien (Festschr. Nötscher), Bonn 1950, 23, mit Recht bestreitet.

[225] Vgl. S. 77f.

[226] Über solche und ähnliche Widerstände bei der Durchsetzung des Dtn siehe *Alt,* Die Heimat ... (Anm. 202) 255ff.

[227] »Die alte Bestimmung, derzufolge die Passagemeinde schon am folgenden Morgen wieder heimkehren solle, steht unausgeglichen neben der jüngeren Kombination von Passa- und Mazzenfest« *(von Rad,* 5. Mose [Anm. 76] z. St.).

Wir haben in Vers 16 zweifellos einen vordeuteronomischen Festkalender vor uns, der vom Deuteronomium aufgenommen wurde.[228] Diesen vordeuteronomischen Festkalender trafen wir bereits an zwei weiteren Stellen des Pentateuch an: im sogenannten kultischen Dekalog[229] (Ex 34,18-23) und im Nachtrag zum Bundesbuch (Ex 23,14-17). Es handelt sich offenbar um den Festkalender, den Israel nach seiner Seßhaftwerdung in Kanaan befolgt hat. Die drei in ihm genannten Feste sind Agrarfeste, die die Israeliten von den Kanaanitern übernahmen. Dabei wurde verständlicherweise das nomadische Pesach von dem bodenständigen, unmittelbar der bäuerlichen Lebensweise entsprechenden Mazzenfest in den Hintergrund gedrängt. Der deuteronomischen Reform ging es jedoch gerade darum, die verdrängten alten Überlieferungen der Jahwereligion wieder in ihre Rechte einzusetzen.[230] Dabei konnte allerdings die jüngere Entwicklung nicht ignoriert werden. So blieben nicht nur Wochen- und Laubhüttenfest erhalten, sondern auch das Mazzenfest wußte neben dem Pesach seine herkömmliche Stellung zu behaupten.
Wir haben in den Versen 7f bereits wahrgenommen, welche Schwierigkeiten sich ergaben bei dem Bestreben von Dtn 16,1-8, die störende Konkurrenz der beiden Feste in den Griff zu bekommen.[231] Die gleiche Beobachtung machen wir bei den Versen 3f. Die der ursprünglichen strikten Reformgesetzgebung angehörende Erwähnung des ungesäuerten Brotes, das *beim* Pesachmahl gegessen werden soll (Vs. 3aα), bot einem späteren deuteronomischen Gesetzgeber, der die bestehenden Verhältnisse offenbar stärker zu berücksichtigen bereit war, den willkommenen Anlaß, die Bestimmung über das siebentägige Mazzenfest einzuschieben (Vss. 3aβb.4a). Dies hatte zur Folge, daß in Vers 4b der (an sich das ganze Fest bildende, einzige) Pesachabend zum »Abend des ersten Tages« wurde.

---

[228] Vgl. S. 76f. Daß wir es in Vs. 16 mit einer älteren Überlieferung zu tun haben, geht auch aus der Bestimmung hervor, »alles, was männlich ist im Volk« habe vor Jahwe zu erscheinen, während die Vss. 11.14 das ganze Volk zur Wallfahrt einladen; vgl. S. 82.

[229] Vgl. Anm. 71.

[230] »In den Kreisen der freien bäuerlichen Landbevölkerung waren die alten patriarchalischen Überlieferungen des strengen Jahwe-Glaubens noch lange lebendig« *(von Rad,* Deuteronomium-Studien [Anm. 202] 46).

[231] Vgl. S. 78f.

In Vers 3 stört außerdem das Wort »dazu« (»sieben Tage sollst du *dazu* ungesäuerte Brote essen«). Denn wenn das Pesach in *einer* Nacht gegessen werden mußte (vgl. Vs. 4b), wie konnte man dann *dazu* sieben Tage lang ungesäuerte Brote essen? Daß nach der Anfügung der Mazzenwoche an das Pesach auch Vers 7b, wonach die Pilger am anderen Morgen heimkehren sollen zu ihren Zelten, seinen Sinn verloren hat, wurde schon gezeigt.[232] Sie sollen ja noch sieben weitere Tage in Jerusalem bleiben, um das Mazzenfest zu Ende zu feiern. Andererseits besteht eine Spannung zwischen Vers 8b und Vers 1. Denn eine gemeinsame Abschlußfeier des Mazzenfestes setzt notwendig für die ganze Pesach/Mazzenfeier ein festes Datum voraus, das in Vers 1 nicht vorgesehen ist.[233]
Die Vorschrift, den letzten Tag der Mazzenwoche als Feiertag zu begehen, begegnet uns erstmals in der Bestimmung Ex 13,6. Sie wird von Dtn 16,8 übernommen,[234] wobei diese spätere Fassung die Arbeitsenthaltung ausdrücklich fordert. Auffallen muß die Erwähnung von bloß sechs Mazzot-Tagen und die gesonderte Behandlung des siebten Tages in Vers 8, wogegen in den Versen 3aβ.4a allgemein von sieben Tagen ungesäuerter Brote die Rede ist. Sachlich besteht zwar zwischen beiden Bestimmungen kein Gegensatz. Dennoch legt sich die Annahme nahe, daß sie zwei verschiedenen Traditionen entstammen.[235] Wie immer dem sei: jedenfalls empfand das

---

232 Ebd.

233 Vgl. S. 76-78.

234 Nach *M. Caloz,* Exode XIII, 3-16 et son rapport au Deutéronome: RB 75 (1968) 5-62, bes. 57, wäre Ex 13,6 älter als Dtn 16,8 (z. B. wird das von Ex 13,6 gebrauchte ältere Wort *ḥag* in Dtn 16,8 durch *ʿaṣeret* ersetzt). Vgl. auch *Merendino* (Anm. 206) 131.

235 »Der Eindruck, daß im Text doch ein gewisser Widerspruch zwischen sieben Tagen Massot und sechs Tagen Massot bleibt, läßt sich nicht vermeiden« *(Merendino,* ebd. 132 Anm. 24). Die Verfügung Vs. 3aβ.4a spiegelt offenbar eine Phase in der Geschichte des Mazzenfestes wider, in der dieses an die Institution der Woche gebunden war und somit der erste und der letzte Tag von selbst auf einen Sabbat fielen. Als die deuteronomische Gesetzgebung das Mazzenfest mit dem Pesach verband, das an das Datum des Frühlingsvollmonds gebunden war, fiel die Koinzidenz mit der Woche dahin. Deshalb wurde es nötig, den letzten Tag der Mazzenwoche ausdrücklich als Feiertag zu deklarieren. Im Gegensatz zu *Kutsch,* (Anm. 28) 17, möchte ich

Deuteronomium kein Bedürfnis, auch den ersten Tag der Mazzenwoche als Festtag zu bezeichnen. Denn für die deuteronomische Gesetzgebung, die sich die Verbindung von Pesach und Mazzenfest zum Anliegen machte, bildete das Pesach die festliche Eröffnung der Mazzenwoche. Erst die Priesterschrift, die die beiden Feste wieder deutlich trennte,[236] mußte den 15. Nisan als ersten Mazzentag ausdrücklich zum Feiertag erklären (Lev 23,6f; Num 28,17f).

3. Das Pesach, ein Volks-Fest

Das deuteronomische Gesetz führte für die drei Wallfahrtsfeste gegenüber dem älteren Herkommen noch eine weitere Neuerung ein. Während in den Bestimmungen von Ex 23,17; 34,23f; Dtn 16,16 nur vorgesehen ist, daß die männlichen Glieder des Volkes jährlich die dreifache Wallfahrt zum Heiligtum machen sollen, beruft der deuteronomische Gesetzgeber das ganze Volk nach Jerusalem: Männer und Frauen, Söhne und Töchter, Knechte und Mägde, Waisen und Witwen, Leviten und Fremdlinge (Vss. 11.14).[237] Da sich der deuteronomische Gesetzgeber von der Zentralisierung der Feste in Jerusalem eine religiöse Erneuerung des Volkes versprach, mußte er auch das ganze Volk daran beteiligen.

Wie eine deuteronomische Pesachfeier konkret ausgesehen haben mag, ist allerdings nicht leicht zu sagen. Der kurze Bericht 2 Kön 23,21-23 über das Pesach des Josia erwähnt eigentlich nur die Tatsache eines gesamtjudäischen Pesach, bietet aber keine weitere Beschreibung seines Ablaufs. Umgekehrt spiegeln die chronistischen Beschreibungen der Pesachveranstaltungen Hiskias (2 Chr 30) und Josias (2 Chr 35) zu sehr die Zustände des nachexilischen Tempels wider und sind zu sehr von den kultpolitischen Interessen des Chronisten gefärbt, als daß sie sich zur Illustrierung des deuteronomi-

daher (mit *Horst* [Anm. 171] 91f) die Mazzenbestimmung von Vs. 8 für jünger ansehen als diejenige von Vs. 3.

[236] S. 66f.89-91.

[237] Zwar beziehen sich diese Anweisungen auf das Wochen- und das Laubhüttenfest. Indes erlaubt die Analogie der deuteronomischen Festtheologie und der herkömmliche Charakter des Pesach als Fest der Gesamtfamilie, sie auch auf das Pesach anzuwenden.

schen Pesach eignen würden.[238] Grundsätzlich aber kann zu diesem doch gesagt werden, daß die Zentralisierung auf den Jerusalemer Tempel zwar die religiöse und nationale Einheit gefördert haben mag, daß sie aber zugleich den ehrwürdigen Ritus seines häuslichen Charakters beraubte und ihn der Gefahr der Vermassung und des Formalismus aussetzte. Auch wenn sich später wieder neue Veränderungen ergaben, war doch die Richtung entscheidend bestimmt, in der sich das nachexilische Pesach entwickeln sollte.[239]

---

[238] Vgl. S. 99-107.

[239] Zu der durch Josia angebahnten Entwicklung der Pesachfeier vgl. bes. *Nicolsky* (Anm. 38) 241-253.

VI. Das nachexilische Pesach

1. Die Gesetzgebung der Priesterschrift

a) Ex 12,1-14

Die Einnahme Jerusalems durch die Babylonier und das darauf folgende Exil haben zwar die nationale Existenz Israels bis auf den Grund zerschlagen, andererseits aber auch ein gewaltiges Potential an geistigen Kräften frei gemacht, die das religiöse Antlitz des nachexilischen Judentums entscheidend prägen sollten. Unter anderem gab die Katastrophe von 586, in noch stärkerem Maß als jene von 722, Anlaß zu einer äußerst fruchtbaren literarischen Tätigkeit sowohl unter den in der Heimat Zurückgebliebenen wie in der Exilsgemeinde in Babylonien. So dürfte, wie M. Noth annimmt,[240] das große deuteronomistische Geschichtswerk (die Bücher Josua bis Könige mit dem Deuteronomium als Einleitung) auf dem Boden Palästinas komponiert worden sein. Das wichtigste in Babylonien, wohl in der zweiten Hälfte des Exils, entstandene biblische Literaturwerk ist die erzählende Grundschicht des Priesterkodex (Pg).[241] Sie beginnt mit der Weltschöpfung (Gen 1,1ff) und endet mit dem Tod des Mose auf dem Berg Nebo (Dtn 34,1a.7-9), dessen Hoffnung auf die Erfüllung der Landverheißung der im Exil schreibende Verfasser sich zu eigen macht.

Gesetzliche Materialien sind der priesterlichen Geschichtserzählung »nur insofern zuzurechnen, als diese mit der Erzählung selbst eng verbunden sind«[242]. Zu ihnen ist die bereits eingehend besprochene Pesachverordnung *Ex 12,1-14* zu rechnen. Die jährliche Feier des Pesach konnte für die Exilsgemeinde in Babylonien nicht mehr bloß, wie sie es früher in der Heimat gewesen war, »Gedächtnis« (*zik-*

---

[240] Geschichte (Anm. 203) 264; dagegen *Bright* (Anm. 199) 359f.

[241] Vgl. dazu besonders *K. Elliger*, Sinn und Ursprung der priesterlichen Geschichtserzählung: ZThK 49 (1952) 121-143 = Kleine Schriften zum Alten Testament, München 1966, 174-198 (hier Zitierung nach der letztgenannten Veröffentlichung). *R. Kilian*, Die Priesterschrift. Hoffnung auf Heimkehr, in: J. Schreiner (Hrsg.), Wort und Botschaft, Würzburg 1967, 226-243.

[242] *Kilian*, ebd. 227.

kārōn; Vs. 14) der Heilstat Jahwes an Israel in Ägypten sein. Vielmehr mußte sich daran »auch die gläubige und zuversichtliche Erwartung eines neuen Rettungswerkes vor den Augen der Völker«[243] entzünden. Hier liegt der Grund für jene Ausrichtung auf eine Zukunft hin, auf ein eschatologisches Heil, die, wie wir sehen werden, der Feier des Pesach in neutestamentlicher Zeit und bis zum heutigen Tag eigen ist.[244] Denn in der Theologie der Priesterschrift hat der Heilswille Jahwes für sein Volk ewige Gültigkeit.[245] Darum soll auch die Vergegenwärtigung seiner Heilstat in der Feier des Pesach eine ewig bestehende Einrichtung sein: »Dieser Tag sei euch zum Gedächtnis ... Von Geschlecht zu Geschlecht, als ewige Satzung, sollt ihr ihn feiern« (Vs. 14).

So war es nicht nur der bekannte Respekt vor alten Traditionen, sondern auch die Exilssituation, die der Priesterschrift in der Satzung von Ex 12,1-14 die Übernahme des alten nomadischen Rituals erleichterte, das in Ex 12,21-23 seinen ersten literarischen Niederschlag gefunden hatte.[246] Von ihr her wird ohne weiteres verständlich, daß das Pesach durchaus als ein häusliches Fest erscheint und von einem zentralen Heiligtum nicht die Rede ist (so wenig wie Lev 23,5 und Num 28,16). Um so bemerkenswerter ist, wie nachdrücklich trotzdem in dieser Vorschrift auf der Kultgemeinde insistiert wird; denn eine solche gab es ja auch in Babylonien. In Vers 3 wird »die ganze Gemeinde Israels« angeredet (*ʿēdāh* = Rechts- und Kultgemeinde), und nach Vers 6 soll das Pesachlamm geschlachtet werden von der »Vollversammlung der Gemeinde Israels« (*kōl ḳᵉhal ʿădat jiśrāʾēl*).

Die Vermengung von altem nomadischem Überlieferungsgut mit den Interessen der Exilssituation ist charakteristisch für die priesterschriftliche Pesachverordnung Ex 12,1-14. In Einzelfällen gehen die Meinungen der Ausleger, ob wir es mit einem alten oder einem jungen Element zu tun haben, sehr auseinander. Dies gilt auch von der Vorschrift in Vers 3, das Pesachlamm schon am 10.

---

243 *Kilian,* ebd. 231.

244 Vgl. S. 114-117.

245 *Elliger,* Sinn u. Ursprung (Anm. 241) 194; *Kilian,* aaO. 231.

246 Vgl. S. 31-33.60. Auf die grundsätzliche Übereinstimmung von Ex 12, 21-23 und 12,1-14 hat vor allem *Grelot,* (Anm. 284) 261f, hingewiesen.

Nisan auszusondern. So neigt Segal dazu, sie für alt anzusehen und schon für die Zeit des Deuteronomisten mit ihrer Preisgabe zu rechnen.[247] In Wirklichkeit dürften wir es aber mit einem späten Sachverhalt zu tun haben. Die Bestimmung wird im deuteronomischen Pesachgesetz nicht formuliert, was allerdings nicht notwendig bedeutet, daß die deuteronomische Praxis sie nicht gekannt hat. Andere Überlegungen machen jedoch einen nachdeuteronomischen Ansatz wahrscheinlich. Als Terminus a quo bietet sich das samaritanische Schisma an, da die Samaritaner die Vorschrift bis heute beibehalten haben.[248] Andererseits wurde sie offenbar von den Juden bald danach aufgegeben und sicher zur Zeit Jesu nicht mehr befolgt.[249] Ein wichtiger Hinweis dürfte der Versöhnungstag sein, der am zehnten Tag des siebten Monats begangen wird (Lev 23,27) und zum großen Herbstfest, dem Laubhüttenfest, in der gleichen zeitlichen Relation steht wie der Tag der Aussonderung der Pesachlämmer zum Pesach/Mazzenfest (vgl. Lev 23,34). Es kann aber nicht übersehen werden, daß die gleiche Relation auch vorliegt in dem Bericht von der Überschreitung des Jordan durch die Israeliten unter Josua am zehnten Tag des ersten Monats (Jos 4,19) und ihrem ersten

[247] »Whether the practice goes back to early times is uncertain; it seems to have been abandoned by the first century — perhaps already by the epoch of the Deuteronomist« ([Anm. 95] 145). Die Erklärungen, die für die Vorschrift gegeben werden, sind mannigfaltig. Indes ist kaum eine davon überzeugend: Der zehnte Tag beschließt die erste Dekade des Monats *(Baentsch* [Anm. 37] 93; *G. Beer,* Exodus, Tübingen 1939, 63; *Heinisch* [Anm. 121] 96f); der zehnte Tag wird gewählt »soit en raison du temps nécessaire à la préparation de la fête, soit en raison de l'importance qui aurait été attachée au chiffre dix« *(Clamer,* Komm. [Anm. 80] 124f); erst am zehnten Tag des Frühlingsmonats wußte man, ob ein Schaltmonat eingeschaltet würde oder ob man mit den Pesachvorbereitungen beginnen könne *(J. B. Segal,* Intercalation and the Hebrew Calendar: VT 7 [1957] 250-307, hier 269-273); die Kombination einer »großen« Reinigungszeit von sieben Tagen mit einer »kleinen« Reinigungszeit von drei Tagen bedeutete, daß das Opferlamm am dritten Tag der »großen« Reinigungszeit (die am achten Tag des Pesach-Monats begann), also am zehnten Tag des Pesach-Monats, ausgesondert wurde *(Segal,* Passover [Anm. 95] 143-145).

[248] Vgl. *J. Jeremias,* Die Passahfeier der Samaritaner (Beih.ZAW 59) Gießen 1932, 76.

Pesach im Land Kanaan am 14. Tag desselben Monats (Jos 5,10). Dabei haben wir uns allerdings in Erinnerung zu rufen, daß in Jos 4,19 und 5,10 schon das Pesachmotiv, erst recht aber die Daten »am zehnten Tag des ersten Monats« beziehungsweise »am vierzehnten Tag des Monats« später Zuwachs sind[250], eingegeben offenbar vom Bestreben, für das erste Pesach im Land Kanaan die in Ex 12,3.6 geforderte Zeit der Vorbereitung zu sichern.

Nun steht aber fest, daß Neujahrstag und Versöhnungstag erst in exilisch-nachexilischer Zeit vom Laubhüttenfest getrennt und verselbständigt wurden. Während das für Neujahr gewählte Datum des 1. 7., zwei Wochen vor dem großen Fest, leicht einleuchtet, kann dies vom Datum des Versöhnungstages am 10. 7. nicht gesagt werden. Wenn, wie zuletzt K. Elliger gezeigt hat,[251] der Vorläufer des Versöhnungstages ein in der Entsündigung des Heiligtums bestehender Initiationsritus auf das Fest hin war, dann ist anzunehmen, daß dem Fest ursprünglich eine fünftägige Vorbereitungszeit voranging. Ob das gleiche auch beim Mazzenfest zutraf, können wir nicht mit Sicherheit sagen. Dann wäre nach der Verschmelzung von Pesach und Mazzenfest der Beginn der fünftägigen Vorbereitungszeit vom Pesach angezogen und von der priesterlichen Gesetzgebung sanktioniert worden. Da sich diese Verschmelzung im Deuteronomium erst anbahnt, wäre es nicht verwunderlich, daß das deuteronomische Pesachgesetz von einer Auszeichnung des fünften Tages noch nichts weiß. Indes ist eher anzunehmen, daß die priesterliche Gesetzgebung als Vorbereitung auf das Pesach ein Analogon zum Versöhnungstag zu schaffen bestrebt war und deshalb den zehnten Tag hervorhob. Daß die Institution sich nicht durchsetzen konnte, haben wir schon gesehen.

b) Lev 23,5-8 und Num 28,16-25

Wie nicht anders zu erwarten, findet sich eine Gesetzgebung über das Pesach auch in dem programmatischen Festkalender des Hei-

---

249 Die Mischna (Pesachim IX,5) zählt den Brauch (wie die Bestreichung der Oberschwelle und der beiden Türpfosten mit Blut) zu den Besonderheiten des ägyptischen Pesach, die in der Folgezeit nicht mehr beobachtet werden sollten.

250 Vgl. S. 68-71 und *Noth*, Josua² (Anm. 88) z. St.

251 Leviticus (Anm. 85) 318-321.

ligkeitsgesetzes Lev 23. Das ganze Kapitel Lev 23 ist ein Kodex über die Festzeiten, der allerdings nicht aus einem Guß ist. Vielmehr hat ein älterer, noch ganz auf den Ackerbau ausgerichteter Kalender durch spätere Hände mannigfache Erweiterungen erfahren.[252] So stammt die Formulierung des Gesetzes über Pesach und Mazzenfest *Lev 23,5-8* frühestens aus exilischer Zeit und dürfte mit der Einfügung des Heiligkeitsgesetzes in die Priesterschrift in Zusammenhang stehen.[253] Das Gesetz hat folgenden Wortlaut:

> »(5) Im ersten Monat, am vierzehnten des Monats, im Zwielicht des Abends, ist Pesach für Jahwe. (6) Und am fünfzehnten Tag dieses Monats ist das Wallfahrtsfest der Mazzen für Jahwe. Sieben Tage sollt ihr Mazzen essen. (7) Am ersten Tag sollt ihr eine heilige Versammlung halten. Keinerlei Werktagsarbeit dürft ihr tun. (8) Und ihr sollt Jahwe sieben Tage lang eine Opfergabe[254] darbringen. Am siebten Tag aber ist wieder heilige Versammlung: keinerlei Werktagsarbeit dürft ihr tun.«

Gegenüber Dtn 16,1-8 fällt hier verschiedenes auf. Zunächst ist vom »ersten Monat« die Rede (dort vom Monat Abib).[255] Die Priesterschrift vermeidet systematisch den alten kanaanäischen Namen Abib. Sogleich finden wir auch ein bestimmtes Datum: der 14. Tag des Monats (also die Vollmondnacht), während im Deuteronomium, zumindest theoretisch, nur allgemein der Monat bezeichnet war;[256] man legt also Wert darauf, jede mögliche Unklarheit hinsichtlich des Datums zu beseitigen und durch die einheitliche Feier des Festes das Bewußtsein der Einheit der Gemeinde noch stärker zu pfle-

---

[252] Zur literarischen Geschichte von Lev 23 siehe *R. Kilian*, Literarkritische und formgeschichtliche Untersuchung des Heiligkeitsgesetzes, Bonn 1963, 103-111 und vor allem die minutiöse Analyse von *Elliger*, Leviticus (Anm. 85) 302-324.

[253] *Elliger*, ebd., bes. 312. *Kilian*, Heiligkeitsgesetz (Anm. 252) 109-111; Priesterschrift (Anm. 241) 241f. Bibel-Lexikon[2] (Anm. 270) 693.

[254] *ʾiššeh*, sum. EŠ.EŠ, akkad. *eššešu*, hat wahrscheinlich den allgemeinen Sinn von (Speise)opfer. In Israel scheint es jedoch später mit *ʾēš* = »Feuer« in Verbindung gebracht und als »Feueropfer« verstanden worden zu sein; vgl. H. Cazelles, Le Lévitique, Paris [2]1958, 13.

[255] Vgl. S. 62.

[256] Vgl. S. 74.76f.

gen.[257] Daß die Verlegung des Jahresanfangs auf den Frühling eine unter babylonischem Einfluß eingeführte Neuerung war, wurde schon bemerkt.[258] Die nachträgliche Einfügung von Vers 2 in Ex 12,1-14 (»dieser Monat sei euch der Anfang der Monate, der erste sei er euch unter den Monaten des Jahres«) ist sichtlich vom Bemühen getragen, dieser Neuerung Geltung zu verschaffen.[259]
Andererseits sehen wir, daß im levitischen Festkalender die beiden Feste Pesach und Mazzenfest, die das Deuteronomium zu verschmelzen sich bemüht hatte, wieder deutlich getrennt werden.[260] Es zeigt sich klar, daß die Priesterschrift sich dabei auf eine alte Tradition beruft: Das Pesach dauert nur einen Abend beziehungsweise eine Nacht; wie die Feier vor sich zu gehen hat, ist mit keinem Wort gesagt. Die Anweisung von Ex 12,1-14 wird offenbar als bekannt vorausgesetzt.[261] Mit dem folgenden Tag, dem 15. des ersten Monats, beginnt ein neues Fest, das sieben Tage dauert. Während der ganze Festkalender in Vers 4 mit dem allgemeinen Begriff *mōʿădē* JHWH (»Feste Jahwes«) überschrieben ist, wird das Mazzenfest in Vers 6a ausdrücklich als *ḥag hammaṣṣōt,* »Wallfahrtsfest der ungesäuerten Brote«, bezeichnet.
Im Deuteronomium hatte das Pesach den Charakter einer feierlichen Eröffnung des Mazzenfestes gehabt, so daß nur noch am Ende der Mazzenwoche ein Feiertag angeordnet werden mußte (Dtn 16, 8b). Weil hier hingegen Pesach und Mazzot getrennt werden, wird der erste Tag der Mazzenwoche ausdrücklich zum Feiertag erklärt.[262] Wir haben auch schon beachtet, daß das Deuteronomium

---

257 »Zu diesem Zeitpunkt, als das judäische Volk auf zwei Wohngebiete — in der Heimat um Jerusalem und im Exil in der Nähe von Babylon — aufgeteilt war, war die datumsmäßige Fixierung der beiden großen siebentägigen Feste eine dringende Notwendigkeit« (*Kutsch* [Anm. 28] 20).

258 S. 62.

259 Vgl. *de Vaux,* Lebensordnungen I (Anm. 167) 306-310, bes. 308.

260 »Les deux fêtes que le Deutéronome (16,1-8) tendait à unir sont ici nettement distinguées« (*Cazelles,* Lévitique [Anm. 254] z. St.). Vgl. auch S. 67.

261 »Im übrigen weiß jeder Hausvater, was er zu tun hat. Die Vorschriften darüber finden sich bei P Ex 12 und Nachträge Num 9,1-14« (*Elliger,* Leviticus 314).

262 Vgl. S. 81f.

das Pesach durch seine Verschmelzung mit dem Mazzenfest zum Wallfahrtsfest gemacht hat. Die priesterliche Gesetzgebung hingegen behält die Bezeichnung *ḥag* (Wallfahrtsfest) dem Mazzenfest vor (Lev 23,6a). Weil dieses allerdings unmittelbar auf das Pesach folgt, muß praktisch doch auch das Pesach schon in Jerusalem gefeiert werden. Indes sind mit dem Pesach keine Opfer verbunden. Wohl aber müssen während der Mazzenwoche täglich Opfer dargebracht werden (Vs. 8a).

Im näheren wird für die Schlachtung des Pesach am 14. des ersten Monats in Vers 5 wie Ex 12,6; Num 9,3.5.11 die Abenddämmerung festgesetzt, wobei wir den sonderbaren Ausdruck *bēn hāʿarbajim* (»zwischen den zwei Abenden«) finden, der zum Sondersprachgut der P-Quelle gehört.[263] Über den Ausdruck ist schon viel diskutiert worden. Dabei gehen die Meinungen auseinander, ob wir es bei *ʿarbajim* mit einem wirklichen oder mit einem nur scheinbaren Dual zu tun haben.[264] In frühjüdischer Zeit verstanden die Pharisäer dar-

263 Außer an den oben genannten Stellen bei P noch Ex 16,12; 29,39.41; 30,8; Num 28,4.8.

264 Die Vertreter eines scheinbaren Duals nehmen an, die lebendige Sprache habe die Form als wirklichen Dual verstanden, was den Zusatz von *bēn* veranlaßt habe; so *H. Bauer/P. Leander,* Historische Grammatik der hebräischen Sprache des Alten Testaments, Halle 1922, Nachdruck Hildesheim 1962, 518, gefolgt von *Beer,* (Anm. 247) z. St., und *Koehler/Baumgartner,* (Anm. 48) 732. *Gesenius/Kautzsch,* (Anm. 60) 88c, und *Zorell,* (Anm. 53) 625, lassen die Frage offen. Hingegen spricht *P. Joüon,* Grammaire de l'Hébreu biblique, Rom 1923, 91g und 136b, bestimmt zugunsten des Duals aus (»il s'agit probablement des deux parties extrêmes du temps appelé *ʿereb*«). Zustimmend *Grelot,* (Anm. 275) 366. Tatsächlich scheint das Empfinden eines Dualbegriffs für »Abenddämmerung« (wie er etwa in unserem deutschen »Abendzwielicht« mitschwingt) in der altorientalischen Welt irgendwie lebendig gewesen zu sein. Als Parallele wurde schon früher auf das arabische *baina 'l-ʿišāʾīni* hingewiesen (*Lane* [Anm. 52] V, 2056: »the time of sunset and the darkness after nightfall«). Hingegen ist in diesem Zusammenhang nicht daran erinnert worden, daß auch im Ägyptischen »Dämmerung« (*ʾwj*) stets im Dual steht. — Eine bestechende Erklärung hat schon vor Jahren *F. M. Th. Böhl* vorgeschlagen (Orient. Lit.zeitung 18 [1915] 322 f). Danach hätten wir in Ex 12 die Grundstelle für die Herkunft des bei P 11mal vorkommenden Ausdrucks. *ʿereb* hätte hier nicht den bereits sekundären Sinn »Abend«, sondern den pri-

unter die Zeit vom beginnenden bis zum wirklichen Sonnenuntergang, die Samaritaner, die Sadduzäer und die Karäer hingegen die Zeit vom Sonnenuntergang bis zur Dunkelheit. Das Deuteronomium hatte sich mit der allgemeinen Tageszeitbestimmung »am Abend, bei Sonnenuntergang« begnügt (Dtn 16,6).

Die Vorschrift *Num 28,16-25* setzt diejenige von Lev 23,5-8 voraus, baut sie aber zugleich weiter aus. Auch hier werden Pesach und Mazzenfest streng geschieden. Der das Pesach betreffende Text ist wörtlich derselbe wie Lev 23,5, nur fehlt die Zeitangabe »im Zwielicht des Abends«. Ebenso stimmen die beiden Verordnungen hinsichtlich des Mazzenfestes darin überein, daß dieses als *ḥag* (Wallfahrtsfest) bezeichnet wird und daß der erste und der siebte Tag als Feiertag deklariert werden; während aber Lev 23,8a nur allgemein gesagt war, die sieben Tage hindurch sei täglich eine *'iššeh* (Opfergabe) darzubringen, wird diese hier sehr genau umschrieben.

c) Ez 45,21-25

Einen eigentümlichen Festkalender finden wir bei *Ezechiel* (Ez 45,21-25). Er nennt nur zwei Jahresfeste, die das Jahr genau in zwei Hälften teilen: eines im Frühling, das Pesach, beginnend in der Nacht vom 14./15. des ersten Monats und dann sieben Tage dauernd, also vom 15. bis 21. (Vss. 21-24), und eines im Herbst, das Laubhüttenfest, das vom 15. bis 21. des siebten Monats begangen werden soll (Vs. 25). Es fehlen also sowohl das Mazzenfest wie das Wochenfest.[265] Allerdings wurde in Vers 21 das Mazzenfest durch eine nachträgliche Textkorrektur doch wieder eingeführt und der Festkalender des Ezechiel auf diese Weise mit der Gesetzgebung des Priesterkodex harmonisiert. Der Vers, der ursprünglich

---

mären Sinn »Untergang«, so daß der Ausdruck bedeuten würde: »zwischen den beiden Untergängen«, nämlich der Sonne und des Mondes, d. h. solange der Mond am Himmel steht. Die angerufene Parität von *'arbajim* mit *ṣohŏrajim* lehnt Böhl mit dem Hinweis ab, daß *'arbajim* stets, *ṣohŏrajim* nie mit *bēn* konstruiert wird. Demnach wäre die ursprüngliche Bedeutung des Ausdrucks in Ex 12 einfach: während der Dauer der (Vollmond)nacht.

[265] *M. Noth* rechnet mit der Möglichkeit, daß Ez hier einer auf die letzte vorexilische Zeit zurückgehenden Jerusalemer Kulttradition folgt (Das dritte Buch Mose, Göttingen 1962, 145f).

gelautet haben muß: »Im ersten Monat, am vierzehnten Tag des Monats, sollt ihr das Pesachfest (*ḥag happesaḥ*) haben«, erhielt dadurch die Form: »Im ersten Monat, am vierzehnten Tag des Monats, sollt ihr das Pesach haben, ein Fest. Sieben Tage[266] sollen Mazzen gegessen werden«[267]. Bei den am Pesachfest darzubringenden Opfern wird unterschieden zwischen einem einfachen Sündopfer (ein Rind) am Pesachabend und ausgiebigen Brand-, Sünd- und Speiseopfern für die sieben Tage der Mazzenwoche. Vom ursprünglichen häuslichen Charakter des Festes ist nichts mehr sichtbar. Die Darbringung der Opfer obliegt dem Fürsten und steht ganz im Zeichen der Sühne. Das Pesachfest ist zu einem Sühneritus für den Fürsten und die Kultgemeinde geworden.

Es fällt auf, daß in den nachexilischen Pesachgesetzen das Pesach selbst mit einem kurzen Satz abgetan wird, das Mazzenfest aber Gegenstand einer ausführlicheren Gesetzgebung ist. Diesen Sachverhalt zu deuten, ist nicht schwer. Für das Pesach hat ja die Priesterschrift bereits eine eingehende Anweisung in Ex 12,1-14. Man mag einwenden, auf diese folge in 12,15-20 auch eine nähere Anweisung für das Mazzenfest. In Wirklichkeit sind jedoch die beiden Texte Ex 12,1-14 und 12,15-20 nicht von der gleichen Art. Während 12,1-14 die grundlegende Pesachvorschrift darstellt, die zur erzählenden Grundschicht (Pg) der Priesterschrift[268] gehörte, ist die Mazzotvorschrift Verse 15-20 sekundär auf Grund von Lev 23 und Num 28 zusammengestellt worden, weil spätere Redaktoren aus der Sicht ihrer Zeit heraus es für nötig hielten, auf das Pesachgesetz unverzüglich ein Mazzengesetz folgen zu lassen[269].

2. Elephantine

Die Erforschung des Pesachfestes erhielt einen interessanten Akzent durch einen der aramäischen Papyri aus dem 5. Jahrhundert v. Chr.,

---

[266] In dem aus Num 28,17 übernommenen *ḥag šibʿat jāmīm maṣṣōt jēʾāḥēl* änderte nochmals ein späterer Bearbeiter *šbʿt* in *šbʿwt* »zur künstlichen Einführung des übergangenen Wochenfestes« (*H. Gese*, Der Verfassungsentwurf des Ezechiel, Tübingen 1957, 80 Anm. 2).

[267] Vgl. *Gese*, ebd. 80f.

[268] Vgl. S. 84.

[269] Vgl. die Kommentare z. St.

die zwischen 1893 und 1908 auf der Insel Elephantine bei *aswān* am ersten Nilkatarakt gefunden wurden.[270] Sie stammen aus den Archiven einer jüdischen Militärkolonie, die unter der persischen Herrschaft (und wahrscheinlich auch schon früher) auf der Insel angesiedelt war.[271] Der uns hier interessierende sogenannte Pascha-Papyrus gehört zum großen Fund, den die im Auftrag der königlichen Museen zu Berlin 1906-1908 durchgeführten Grabungen zutage förderten und der erstmals von E. Sachau veröffentlicht wurde.[272] 1923 publizierte A. Cowley eine handliche kommentierte Gesamtausgabe aller damals bekannten Elephantine-Papyri in chronologischer Anordnung.[273]

Der Pascha-Papyrus ist Nr. 6 in der Ausgabe von Sachau (S. 36-40), Nr. 21 in derjenigen von Cowley (S. 60-65).[274] Den ausführlichsten Kommentar dazu verdanken wir P. Grelot.[275] Es handelt sich um einen Brief, in welchem Chananjah, ein jüdischer Beamter, der am Hof des persischen Satrapen Aršam in Ägypten für die jüdischen Angelegenheiten zuständig war, dem Vorsteher der jüdischen Kolonie in Elephantine, Jadenjah, mitteilt, er habe vom Perserkönig Darius II. Anweisung erhalten, in welcher Weise die dortige Gemeinde das Pesach/Mazzenfest feiern solle. Der Brief hat folgenden Wortlaut[276]:

---

270 Zum Papyrusfund von Elephantine siehe *H. Haag*, Papyri II. B, in: Bibel-Lexikon, Einsiedeln ²1968, 1291-1293, und die dort genannte Literatur. Übersicht über die gesamte Fundgeschichte vor allem bei *E. G. Kraeling*, The Brooklyn Museum Aramaic Papyri, New Haven 1953, 9-18.

271 Zur Geschichte der Kolonie vgl. vor allem *Kraeling*, ebd. 21-119.

272 *E. Sachau*, siehe Anm. 96.

273 *A. Cowley*, Aramaic Papyri of the Fifth Century B.C., Oxford 1923, Nachdruck Osnabrück 1967.

274 Bei *K. Galling*, Textbuch zur Geschichte Israels, nur in der 1. Auflage, Tübingen 1950, 73.

275 *P. Grelot*, Etudes sur le »papyrus paschal« d'Eléphantine: VT 4 (1954) 349-384. Vgl. auch *Vincent* (Anm. 95) 234-311.

276 Mit den von *Grelot* (ebd.) vorgeschlagenen Ergänzungen zu dem nur fragmentarisch erhaltenen Text.

1. (An meine Brüd)er
2. (Ja)denjah und seine Genossen, das (j)udäische (H)eer, euer Bruder Chanan(jah). Das Heil meiner Brüder mögen die Götter[277] (gewähren)!
3. Und nun: in diesem Jahr, dem Jahr 5 des Königs Darius[278], ist von dem König Auftrag gegeben worden an Arš(am...)
4. .... Ihr nun: zählt also vier(zehn)
5. (Tage vom ersten Tag des Nisan an, und das Pascha fei)ert, und vom 15. Tag bis zum 21. Tag des (Nisan)
6. (feiert das Mazzenfest). Ihr nun: seid rein und nehmt euch in acht. Kei(ne Arbeit tut)
7. (am 15. und am 21. Tag ... gegorenes Getränk[?]) nicht trinkt und jederlei Gesäuertes ni(cht eßt).
8. (Eßt Mazzen vom 14. Tag des Nisan bei) Untergang der Sonne bis zum 21. Tag des Nis(an bei Untergang)
9. (der Sonne. Sieben Tage nichts Gesäuertes bri)ngt in eure Gemächer und haltet es verschlossen zwischen (diesen) Ta-g(en).
10. ....
11. (An) meine Brüder Jadenjah und seine Genossen, das judäische Heer, euer Bruder Chananjah.

Beim Lesen dieses Textes müssen uns zunächst Bedenken kommen, ob es richtig ist, von ihm als von einem Pascha-Papyrus zu sprechen. Denn sein beherrschendes Thema ist nicht das Pascha, sondern das Mazzenfest. Vom Pascha handelt nur Zeile 4b.5a,[279] alles weitere gilt dem Mazzenfest.[280] Schon dies deutet auf eine gewisse Distanz zum Deuteronomium hin, dem das Pesach wichtiger war als das Mazzenfest. Überdies konnte die Kolonie von Elephantine Pesach nur feiern in flagrantem Widerspruch zum deuteronomischen Ge-

---

[277] Anpassung an das Protokoll der persischen Kanzlei seitens des jüdischen Briefschreibers bzw. seines nichtjüdischen Sekretärs (vgl. *Grelot*, ebd. 353f).

[278] Darius II. (424-404). Der Brief stammt somit aus dem Jahr 419.

[279] Indes erlaubt die Textlücke nicht einmal einen sicheren Schluß, ob das Pascha überhaupt genannt war.

[280] Treffender spricht daher *Kraeling* von einem »Mazzoth Papyrus« (Anm. 270) 84 oder »Maṣṣot-Erlaß« (RGG³ II, 417).

setz, das diese Feier an den Tempel von Jerusalem band. So ist es denn auch nicht verwunderlich, daß der »Mazzenbrief« keinerlei Berührungen zum Deuteronomium aufweist.[281] Das deuteronomische Gesetz scheint bis zum Jahr 419 in Elephantine entweder unbekannt geblieben (was wenig wahrscheinlich ist) oder zum mindesten ignoriert worden zu sein.[282] Vielmehr folgt unser Text deutlich der priesterschriftlichen Tradition, wenn auch, wie Grelot gezeigt hat, die Kontakte mit Ex 12,15-20; Lev 23,5-8 und Num 9,6-13 mehr sachlicher als literarischer Art sind. Ohne Vorbild in der Gesetzgebung des Pentateuch ist das Verbot von gegorenem Getränk (?) in der Mazzenwoche. Vielleicht handelt es sich um eine Sonderregelung für die Kolonie von Elephantine.[283]

Damit wird die Frage, was Chananjah mit seiner Anweisung bezweckte, nur um so akuter. Nach Grelot würde diese das in Elephantine beim Pesach wie beim Mazzenfest befolgte Gewohnheitsrecht bestätigen. Die einzige Neuerung, die der Brief einführen würde, wäre die Festlegung des Pesachdatums im Sinn des Kalenders der Jerusalemer Priesterschaft.[284] Aber können wir ernsthaft annehmen, das Pesach sei in Elephantine an einem anderen Datum begangen worden als – aufgrund uralter Tradition – beim Frühlingsvollmond? Eine andere Frage ist jedoch, ob das Datum des Mazzenfestes schon festgelegt war. Diese Festlegung erfolgte ja erst, als das Mazzenfest mit dem Pesach kombiniert wurde, was, wie wir sahen, das Werk der deuteronomischen Reform war. Sollte es, wie vorhin angedeutet, wirklich zutreffen, daß das Deuteronomium bis anhin in Elephantine ignoriert worden war, dann wäre dort auch die Symbiose von Pesach und Mazzenfest nicht praktiziert worden. Diese war aber zu einem festen Bestandteil des nachexilischen Festkalenders geworden. Wäre es dann nicht denkbar, daß –

---

[281] Vgl. *Grelot* (Anm. 275) 367.

[282] Diese Beobachtung dürfte denen Recht geben, die die Ansiedlung von Israeliten in Elephantine auf vordeuteronomische Zeit zurückführen (vgl. vor allem *C. H. Gordon,* The Origin of the Jews in Elephantine: Journ. Near East. Studies 14 [1955] 56-58).

[283] Die Mischna (Pes. III,1) nennt unter den Flüssigkeiten, die am Pesach fortgeschafft sein müssen, auch »das ägyptische Bier«.

[284] *P. Grelot,* Le Papyrus pascal et le problème du Pentateuque: VT 5 (1955) 250-265, bes. 260-262.

bei einer im übrigen maximalen Toleranz gegenüber der Kolonie seitens der Jerusalemer Priesterschaft – wenigstens diese eine Forderung in Elephantine durchgesetzt werden sollte: ein Pesach ohne nachfolgende Mazzenwoche sollte es dort nicht mehr geben.

Die Anweisung des Chananjah hätte somit bezweckt, das in Elephantine bereits bekannte Mazzenfest mit dem Pesach zu verknüpfen und damit sein Datum festzulegen. Vielleicht müssen wir allerdings noch weiter gehen. Wir wissen von den Festen, die in Elephantine begangen wurden, äußerst wenig. Wochen- und Laubhüttenfest sind nicht bezeugt. Wir sind nicht einmal sicher, ob der Sabbat gehalten wurde. Daß das Pesach in Elephantine praktiziert wurde, darf immerhin als höchst wahrscheinlich gelten, auch wenn die (durch die Textlücke bedingte) Unsicherheit bestehen bleibt, welche Rolle es im Mazzen-Papyrus spielt.[285] Andererseits läßt sich nicht leugnen, daß das ganze Interesse des Papyrus dem Mazzenfest gilt. Wurde dieses vielleicht für Elephantine nicht nur neu geordnet, sondern sogar neu eingeführt?[286]

Was aber hat der Perserkönig Darius II., auf dessen Auftrag sich Chananjah beruft, mit dieser Angelegenheit zu tun? Ist er es, der festsetzt, wann und wie in Elephantine das Pesach/Mazzenfest zu feiern ist? Und wenn ja, welches Interesse konnte er daran haben?

Im Anschluß an P. Grelot hat vor allem K. Galling herausgestellt, daß in dem Brief des Chananjah zwei Teile zu unterscheiden sind.[287] Der erste (Zeilen 3-4a) referiert über einen dem persischen Satrapen in Ägypten, Aršam, notifizierten, die Juden von Elephantine betreffenden Erlaß des Darius. Welches der Inhalt dieses Erlasses war, können wir nicht mit Sicherheit sagen, da der Papyrus gerade an dieser entscheidenden Stelle eine Lücke aufweist. Da wir jedoch wissen, daß die blutigen Widderopfer der jüdischen Kolonie den

---

[285] Sicher beweisen können wir die Pesach-Praxis in Elephantine nicht. Vgl. die von *Kraeling*, The Brooklyn Museum (Anm. 270) 95f, vorgebrachten Bedenken. Immerhin kann das Vorkommen des Wortes Pascha auf zwei Ostraka (vgl. S. 35f) für unsere Frage nicht ohne Bedeutung sein.

[286] »es scheint sich um die erste Einführung dieses Festes zu handeln« (*Kraeling*, RGG³ II, 417).

[287] *K. Galling*, Studien zur Geschichte Israels im persischen Zeitalter, Tübingen 1964, 150-154.

Unwillen der Priesterschaft des ägyptischen Widdergottes Chnum erregten und diese im Jahr 408 sogar dazu brachten, den Jahu-Tempel der Elephantine-Juden zu zerstören, sind wir zur Annahme berechtigt, die Chnum-Priester seien schon früher bei der persischen Regierung gegen den jüdischen Kult vorstellig geworden. Dann dürfen wir die Entscheidung des Darius dahin deuten, daß er trotz des Einspruches den Juden weiterhin erlaubte, das Pesach zu begehen. Solche Toleranz seitens der persischen Zentralregierung war kein Sonderfall, sondern entsprach der allgemeinen Religionspolitik der Achämeniden. Eine liberale Haltung gegenüber der Religion der unterworfenen Völker sicherte ihnen deren Loyalität und förderte damit die Einheit des Reiches.[288] Im Fall von Elephantine hatte Darius II. besondere Veranlassung zu solcher Politik, »damit die jüdische Militärkolonie an der Grenze bei der Stange gehalten wurde«[289].

Hingegen hat Darius mit dem zweiten Teil des Briefes, der die Pesach/Mazzenfeier näherhin regelt, nichts mehr zu tun. Dieser ist eine innerjüdische Angelegenheit und der Initiative des Chananjah zuzuschreiben, der den Anlaß benutzte, um in Elephantine den Festkalender des Jerusalemer Tempels durchzusetzen.

3. Das Pesach der hellenistischen Zeit

Über das Pesach der hellenistischen Zeit besitzen wir keine direkten biblischen Nachrichten. Rückschlüsse erlauben indes die Beschreibungen von Pesachfeiern, die sich in dem in hellenistischer Zeit entstandenen *chronistischen Geschichtswerk* finden. Es handelt sich um drei Texte: Esr 6,19-22; 2 Chr 30 und 2 Chr 35[290]. Allen drei ist gemeinsam, daß eine Pesachfeier in Jerusalem die Wiederaufnahme des legitimen Kultes am Tempel markiert. Pesach erscheint als das Fest, an dem das Jahwevolk des ihm neu geschenkten Lebens inne wird. Ein zweites Charakteristikum der chronistischen Pesachfeiern

---

[288] Vgl. *H. Cazelles*, La mission d'Esdras: VT 4 (1954) 113-140, bes. 122-132.

[289] *Galling*, Studien zur Geschichte (Anm. 287) 154.

[290] Vgl. S. 34f.

ist die prononcierte Rolle, die die Leviten dabei spielen, ganz im Sinn der »antiklerikalen« und levitenfreundlichen Politik der Chronik.[291] Was die den chronistischen Pesachfeiern zugrundeliegende Gesetzgebung angeht, so stellt sie, wie vor allem G. von Rad gezeigt hat,[292] eine Kombination von deuteronomischer Tradition mit priesterschriftlichen Forderungen dar. Ein Blick auf die drei chronistischen Pesachberichte bestätigt dies.

a) Esr 6,19-22

Die hier beschriebene Pesachfeier erscheint als dankbare Antwort der Heimkehrergemeinde *(b^e^nē haggōlāh)* auf den Wiederaufbau des Tempels (Vs. 22), der nach Vers 15 im letzten Monat des 6. Jahres des Königs Darius, also im Frühjahr 515, vollendet wurde. Während der Bericht über Bau und Einweihung des Tempels (5,1-6,18) der vom Chronisten vorgefundenen aramäischen Quelle angehört, setzt mit 6,19 der hebräische Text wieder ein und weist so die Beschreibung der Pesachfeier als das Eigenwerk des Chronisten aus. Das Datum, der 14. des ersten Monats, entspricht genau der priesterschriftlichen Bestimmung von Ex 12,6. Ebenso wird, im Sinn der Priesterschrift,[293] vom »Schlachten« (*šḥṭ*) und nicht vom »Opfern« des Pesach gesprochen (Vs. 20). Priesterschriftlich ist schließlich die Abhebung der Mazzenwoche von der eintägigen Pesachfeier (Vs. 22). Hingegen entspricht die Verbindung der Feier mit dem Jerusalemer Tempel deuteronomischem Brauch.[294]

Typisch chronistisch ist die exklusive Rolle, die den Leviten bei der Zubereitung des Pesach zugesprochen wird. *Sie* sind es, die das Pesach sowohl für die Laien wie für die Priester wie für sich selbst

---

[291] Vgl. *G. von Rad*, Das Geschichtsbild des chronistischen Werkes, Stuttgart 1930, 88-98. *H. Cancik*, Das jüdische Fest. Ein Versuch zu Form und Religion des chronistischen Geschichtswerkes: ThQ 150 (1970) 335-348, hier 343. Daß die Zentralisation des Ritus auf den Tempel die Mitwirkung der Leviten notwendig machte, ist naheliegend. Diese wird jedoch im chronistischen Geschichtswerk überdimensioniert.

[292] Geschichtsbild (Anm. 291) 52f.

[293] Vgl. Anm. 46.

[294] Vgl. S. 75.

schlachten (Vs. 20).[295] Sowohl nach deuteronomischer wie nach priesterschriftlicher Vorstellung war dies Sache der Laien, und nach allem, was wir wissen, wurde es auch immer so gehandhabt.[296] Ob die Übertragung dieser Aufgabe an die Leviten durch den Chronisten einer Praxis entspricht, die zu seiner Zeit in Geltung war, oder ob sie eine Idealvorstellung wiedergibt, können wir nicht mit Sicherheit ausmachen. Jedenfalls soll die Betonung der Reinheit der Leviten nicht ihre Vorzugsstellung begründen, sondern erklären, warum das Pesach der Repatriierten — im Gegensatz zum Pesach des Hiskia (2 Chr 30) — am korrekten Datum begangen werden konnte.[297]

b) 2 Chr 35,1-19

In der Tatsache einer von König Josia in seinem 18. Regierungsjahr zu Jerusalem glanzvoll veranstalteten Pesachfeier stimmt der Chronist mit dem Königsbuch überein. Jedoch ist der Chronist in seinem Bericht gegenüber seiner Vorlage eigene Wege gegangen. Nicht nur hat er die kurze Notiz von 2 Kön 23,21-23 zu einer breiten Erzählung ausgewalzt, so daß G. von Rad von einer »ganz unproportionierten Ausspinnung dieses Themas« sprechen kann.[298] Vielmehr hat er diesen Bericht wiederum zum Anlaß genommen, um seinem durchaus eigenständigen Pesachprogramm Geltung zu verschaffen.

Gleich im ersten Satz springt der Gegensatz zum Text des Königsbuches in die Augen. Während wir dort lesen: »Und der König

---

[295] Der Satz gibt nur einen vernünftigen Sinn, wenn statt »die Priester und die Leviten« (hatten sich insgesamt gereinigt) nur »die Leviten« gelesen wird (so u. a. *Segal*, Passover [Anm. 95] 226 Anm. 3; *W. Rudolph*, Esra und Nehemia, Tübingen 1949, z. St.; *Galling*, Chronik, Esra ... [Anm. 36] z. St.; anders *H. Schneider*, Die Bücher Esra und Nehemia, Bonn 1959, z. St.). Denn das folgende »sie schlachteten das Pesach für alle Söhne der Golah und für ihre Brüder, die Priester, und für sich selbst« kann ja sinngemäß nur für die Leviten gelten.

[296] Vgl. S. 63.110.

[297] *Schneider*, aaO.

[298] Geschichtsbild (Anm. 291) 52. — In die Diskussion um den Anteil späterer Bearbeiter an diesem Kapitel soll hier nicht eingetreten werden.

gebot allem Volk: Macht ein Pesach für Jahwe, euren Gott!« (Vs. 21), schreibt der Chronist: »Und Josia machte in Jerusalem ein Pesach für Jahwe, und sie schlachteten das Pesach am 14. Tag des ersten Monats« (Vs. 1). Wieder finden wir, wie in Esr 6,19, das priesterschriftliche Datum von Ex 12,6, das in der Vorlage fehlt. Gleichzeitig aber sehen wir schon in diesem ersten Satz, wie sehr sich die Pesachkonzeption des Chronisten von der des Deuteronomisten unterscheidet. Daß, wie im Königsbuch, Josia das *Volk* anweist, das Pesach zu veranstalten, ist für den Chronisten ein unvollziehbarer Gedanke. Für ihn ist das Pesach nicht Sache des *Volkes,* sondern der *Leviten,* wie sich im Verlauf der Schilderung zeigt. Vorläufig umgeht er die Klippe durch die neutrale Aussage: »*Josia* machte ein Pesach für Jahwe, . . . und *sie* schlachteten das Pesach . . .«. Dies wurde aber von den Leviten besorgt, wie wir in Vers 11 erfahren: »Und sie schlachteten das Pesach, und die Priester sprengten das Blut,[299] während die Leviten abhäuteten.« Daß das Subjekt von »sie schlachteten« die Leviten sind, ergibt sich nicht nur daraus, daß diese im vorangehenden Vers 10 zuletzt genannt sind, sondern auch aus Vers 6, wo Josia den Leviten ausdrücklich den Befehl erteilt, das Pesach zu schlachten und es auch für ihre Brüder zuzurichten.[300]

Im übrigen spüren wir im Chroniktext, welche Mühe der Chronist sich macht, das deuteronomische Pesachgesetz mit der nachexilischen Praxis in Einklang zu bringen, in der sich priesterschriftliche Elemente Geltung verschafft hatten. Gewiß, die Feier am Jerusalemer Tempel steht nicht zur Diskussion. Sie ist mittlerweile derart zur Selbstverständlichkeit geworden, daß der Chronist statt der nachdrücklichen Hervorhebung seiner Vorlage »im 18. Jahr des Königs Josia wurde dieses Pesach begangen *in Jerusalem*« (Vs. 23) sich mit der einfachen Bemerkung begnügen kann: »Und Josia beging in Jerusalem ein Pesach für Jahwe . . . Im 18. Jahr der Regierung des Josia wurde dieses Pesach begangen« (Vss. 1.19). Während aber in 2 Kön 23,21-23 nur vom Pesach die Rede ist, feierten nach der

---

[299] Vgl. Biblia Hebraica³.

[300] Die Streitfrage, ob mit den »Brüdern« der Leviten die Laien gemeint sind oder, wie sich von Esr 6,20 her nahelegt, die Priester, kann hier unberücksichtigt bleiben.

Chronik die Israeliten »das Pesach und sieben Tage lang das Mazzenfest« (Vs. 17). Die Darstellung im Königsbuch entspricht der deuteronomischen Tendenz, das Pesach zu neuer Geltung zu bringen und ihm gegenüber das Mazzenfest abzuwerten. Der Chronist korrigiert hier seine Quelle und nennt nach priesterschriftlicher Konzeption das Mazzenfest ausdrücklich und vom Pesach getrennt. Ebenso spricht er, wie Esr 6,20, nach priesterschriftlicher Terminologie vom »Schlachten« *(šḥṭ)* des Pesach (Vss. 1.6.11).

Ein Ärgernis scheint für den Chronisten die deuteronomische Konzession dargestellt zu haben, als Pesachtiere auch Rinder zu verwenden (Dtn 16,2) und deren Fleisch zu kochen (16,7).[301] Schon in den Versen 7f unterscheidet er zwischen dem für das Pesach bestimmten Kleinvieh und den Rindern. In Vers 13 spürt man, wie er sich mit dem Ausdruck »kochen« *(bšl)* geradezu herumquält. Zwar konnte er diesen das deuteronomische Pesachritual so beherrschenden Terminus nicht einfach beiseite schieben. So behilft er sich denn auf zweifache Weise. Einmal trägt er der priesterschriftlichen Bestimmung, das Pesachlamm sei am Feuer zu braten (Ex 12,8f), dadurch Rechnung, daß er bemerkt, das josianische Pesach sei »nach dem Rechtsbrauch am (offenen) Feuer gekocht«, mit anderen Worten: gebraten worden,[302] während man die »geweihten Gaben in Kesseln, Töpfen und Pfannen gekocht und sie allen Leuten aus dem Volk eilends gebracht« habe (Vs. 13). Es kann sich demnach bei diesen »geweihten Gaben« nur um Heilsmahlopfer *(zebaḥ š^{e}lāmîm)* handeln, für welche die am Ende von Vers 12 erwähnten Rinder dienen mußten. Der Chronist hat also aus den deuteronomischen Pesachrindern (Dtn16,2) Heilsmahlrinder gemacht (vgl. Lev 3,1-5).[303] Aber auch das Pesach selbst wird vom Chronisten als Schelamimopfer behandelt, denn er sieht vor, daß davon bestimmte Stücke von den Laien als Brandopfer dargebracht werden. Mit diesen

---

301 Vgl. S. 74-76.

302 »Die ›Ordnung‹ (*mišpāṭ*) des Chr. geht also sachlich mit Ex 12, behält aber den Wortlaut von Dt 16 durch die Hinzufügung von *bā'ēš* nach Möglichkeit bei« (*W. Rudolph*, Chronikbücher, Tübingen 1955, 327).

303 Zwar ist ein Kochen der Schelamim in keinem Gesetz vorgesehen. Wir haben es auch hier wieder mit einer deuteronomischen Pesach-Reminiszenz zu tun.

Stücken können (wie aus Vs. 14 noch deutlicher wird) nur die in Lev 3 vorgesehenen Fettstücke gemeint sein. Zwar gebraucht der Chronist in diesem Zusammenhang den Ausdruck »Brandopfer« (*ʿōlāh*), worunter im levitischen Gesetz (Lev 1,1-17) ein Ganzopfer verstanden wird, »bei dem mit Ausnahme der Haut alles für die Gottheit verbrannt wird«[304]. Dennoch kann in unserem Kontext nur ein Mahlopfer gemeint sein, wie ja auch Lev 3,5 Brandopfer und Mahlopfer in einem Blick eingefangen werden.[305]

Nach der Vorstellung des Chronisten war das Pesachmahl somit ein Heilsopfermahl, das am Tempel gehalten wurde. Sollte diese Form der historischen Wirklichkeit seiner Zeit entsprechen, so wäre sie jedenfalls später zugunsten des häuslichen Mahls wieder aufgegeben worden. Hingegen hat sich die Schlachtung der Lämmer am Tempel und die Blutsprengung im späteren Judentum durchgesetzt.[306]

Der Chronist beschließt seinen Bericht über die josianische Pesachfeier, im Anschluß an 2 Kön 23,22, mit der Feststellung, seit den Tagen des Propheten Samuel (dort: seit den Tagen der Richter) sei kein solches Pesach in Jerusalem gefeiert worden. Diese Aussage steht zwar im Widerspruch zu Kap. 30, wonach schon Hiskia ein ähnliches Pesach in Jerusalem veranstaltete.[307] Aber der Chronist fühlte sich hier offenbar an seine Vorlage im Königsbuch gebunden.

---

304 *Elliger*, Leviticus (Anm. 85) 34.

305 Vgl. *Rudolph*, Chronikbücher 327; *R. Schmid*, Das Bundesopfer in Israel, München 1964, 34. Auch 2 Chr 30,15 können mit den *ʿōlōt* nur die Pesachlämmer gemeint sein (anders hier *Rudolph* 301 Anm. 4). — *P. Grelot* will aus der von den Priestern praktizierten Blutsprengung (2 Chr 30,16; 35,11) ableiten, der Chronist habe das Pesach als Sündopfer verstanden, und verweist auf Lev 4,7.18.25.30 ([Anm. 275] 359). Jedoch findet sich der von Chr gebrauchte Ausdruck für »sprengen« (*zrḳ*) im Sündopfergesetz Lev 4 nicht, wohl aber im Gesetz über das Brandopfer (Lev 1) und über das Mahlopfer (Lev 3), wenn auch zuzugeben ist, daß die P-Theologie dazu neigt, »den gesamten Opferkult einheitlich als Sühneinstitut« zu begreifen (*Elliger*, Leviticus 51).

306 Vgl. S. 109f.

307 Jene Feier wird in 30,26 als die erste derartige seit den Tagen Salomos bezeichnet, eine Bemerkung, die den gesamtisraelitischen Charakter der Feier im Auge hat.

c) 2 Chr 30,1-27

Der Bericht über das Pesach des Hiskia, den wir beim Chronisten zusätzlich zu demjenigen über das Pesach des Josia finden, ist einer der umstrittensten Texte des chronistischen Geschichtswerks. Die Pesachfeier erscheint darin als Bestandteil der großen religiösen Reform des Hiskia, der der Chronist volle drei Kapitel widmet (2 Chr 29-31) und die in drei Etappen verläuft: Reinigung und Neuweihe des Tempels (Kap. 29), allgemeine Pesachfeier (Kap. 30), Reinigung des Landes und Regelung der Kultordnung (Kap. 31). Aber gerade die Ausführlichkeit dieser Beschreibung, der in 2 Kön 18,3-6 bloße vier Verse gegenüberstehen und durch die sich das Hiskiabild der Chronik entscheidend von dem des Königsbuches abhebt, gibt zu ernsthaften Bedenken Anlaß. Entweder muß angenommen werden, der Chronist habe in der Idealisierung seiner Lieblingsgestalt Hiskia keine Grenzen gekannt, oder aber, er habe für diese Stoffe über eigene Quellen verfügt.

Für unser Thema stellt sich konkret die Frage nach dem historischen Wert der Pesachbeschreibung (Kap. 30). Danach hätten der König und die Gemeinde von Jerusalem in ganz Israel von Beer-Seba bis Dan verkünden lassen, »sie sollten kommen, um Pesach zu halten für Jahwe, den Gott Israels, in Jerusalem« (Vs. 5). Zwar ziehen die Boten durch »ganz Israel und Juda« (Vs. 6),[308] aber die Briefe, die der König und die Fürsten ihnen mitgeben, enthalten eine Bußpredigt, die sich nur an die Stämme des untergegangenen Nordreichs richtet (Vss. 6b-9). Im Gebiet des Nordreichs werden die Boten verspottet; immerhin »demütigten sich Männer aus Aser, Manasse und Sebulon und kamen nach Jerusalem« (Vs. 11). In Juda hingegen finden die Boten williges Gehör (Vs. 12). So versammelte sich denn »in Jerusalem eine große Menge, um das Mazzenfest im zweiten Monat zu feiern« (Vs. 13), und »sie schlachteten das Pesach am vierzehnten Tag des zweiten Monats« (Vs. 15), wobei sich die Leviten wieder besonders hervortun (Vss. 16f).

Was ist von dieser Pesachfeier zu halten? Gewichtige Autoren wie

---

[308] Man beachte die verschiedene Bedeutung von »ganz Israel« in Vs. 5 und Vss. 1.6.

M. Noth[309], H. Cazelles[310], K. Galling[311], W. Rudolph[312], R. de Vaux[313] haben sich für die erste der beiden vorhin genannten Versionen entschieden. Danach hätte der Chronist der (historischen) religiösen Reform des Hiskia den gleichen feierlichen Abschluß geben wollen wie jenen, der die Reform des Josia gekrönt hatte.[314] Eine wichtige Rolle spielt dabei die Überlegung, daß die Zentralisierung des Pesach auf Jerusalem das Werk des Deuteronomiums und des Josia gewesen sei.[315]

Indes sind gegenüber der Annahme, das hiskianische Pesach des Chronisten sei ein bloßer Abklatsch des josianischen, doch Bedenken am Platz. Einmal erstreckt sich bezüglich des Hiskia das Sondergut der Chronik gegenüber dem Königsbuch nicht nur auf die Beschreibung des Pesach, sondern auf weitere kultische Maßnahmen (wie die Reinigung und Neuweihe des Tempels), die in der chronistischen Darstellung des Josia keine Parallele haben. Für diese Stoffe würde sich also erneut die Frage stellen, ob sie einer idealisierenden Tendenz des Chronisten zuzuschreiben sind oder ob dieser sich dafür einer Sonderquelle bediente. Überdies sind trotz frappanter Ähnlichkeiten bemerkenswerte Unterschiede zwischen dem josianischen und dem hiskianischen Pesach nicht zu übersehen. So springen hier bei der Schlachtung der Pesachlämmer die Leviten nur für diejenigen Laien hilfreich ein, die nicht rein sind (Vss. 16f), während in 2 Chr 35,11 und Esr 6,20 das Schlachten als selbstverständliche Aufgabe der Leviten erscheint. In den Versen 15 und 21

---

309 »Die lakonische Notiz über kultische Maßnahmen Hiskias (2. Kön. 18,4) veranlaßte Chr zu einer an der Reform Josias orientierten sehr langen Ausführung darüber, wie man sich die ebenfalls durch eine Passahfeier abgeschlossenen Maßnahmen des Königs im einzelnen zu denken habe« (Überlieferungsgeschichtliche Studien, Halle 1943, ³Tübingen 1967, 201).

310 Les livres des Chroniques, Paris ²1961, 213.

311 Chronik, Esra ... (Anm. 36) z. St.

312 Chronikbücher (Anm. 302) z. St.

313 »Ce récit (scil. 2 Chr 30) apparaît comme une construction du Chroniste qui a voulu donner à la réforme religieuse d'Ézéchias (qui est historique) la même conclusion solennelle qu'avait eue la réforme de Josias« (Sacrifices [Anm. 43] 8 Anm. 1).

314 Vgl. Anm. 313.

315 Vgl. *de Vaux,* Lebensordnungen II (Anm. 29) 343-346.

wird zwar, wie in 2 Chr 35,17 und Esr 6,19.22, zwischen dem Pesach und dem sich daran anschließenden Mazzenfest unterschieden. Hingegen erscheint in Vers 13 das Mazzenfest, entgegen der Gewohnheit des Chronisten, als ein beide Feste, Pesach und Mazzenfest, umfassender Oberbegriff (Vs. 13: die Menge kommt nach Jerusalem, *um das Mazzenfest zu feiern*; Vs. 15: sie schlachten das Pesach; Vs. 21: sie feiern das Mazzenfest). So hat denn vor allem A. C. Welch ernsthaft gemahnt, nicht nur die Gemeinsamkeiten der Pesachbeschreibungen von Kap. 30 und 35 zu beachten, sondern auch die Unterschiede, die es zu erklären gelte.[316] Um so bedauerlicher ist es, daß Welch nicht zu einer befriedigenden Erklärung hingefunden hat.[317] In der Folge haben sich vor allem H.-J. Kraus[318] und F. L. Moriarty[319] zugunsten eines historischen Kerns von 2 Chr 30 eingesetzt, wobei jedoch Moriarty der Termindifferenz ein zu großes historisches Gewicht beimißt.[320]

Schon oben hat sich gezeigt, daß der Bericht von 2 Chr 30 nicht aus einer einzigen Hand stammen kann. Bei näherem Zusehen lassen sich leicht zwei ineinander verwobene und je wieder retuschierte Erzählungsfäden erkennen. In der älteren Erzählung feiert das »Volk« *(ʿam)* ein Mazzenfest (Vss. 13.21f), in der jüngeren die »Gemeinde« *(ḳāhāl)* ein Pesach.[321] Die ursprüngliche Überlieferung wußte somit nur von einer Mazzenfeier des Hiskia zu berichten, nicht von einer Pesachfeier.[322]

---

316 *A. C. Welch*, The Work of the Chronicler, London 1939, 101f.

317 Vgl. S. 106.

318 Zur Geschichte ... (Anm. 28) 63-65.

319 The Chronicler's Account of Hezekiah's Reform: CBQ 27 (1965) 399-406.

320 »Why should this severely orthodox writer picture it (the Passover) as celebrated in the second month when he could just as easily have put it in the first as in the case of Josiah's Passover (2 Chr 35,1)? ... The greater probability seems to be that the Chronicler was faced with an unusual and unorthodox historical event ...« (ebd. 405).

321 Für die Einzeluntersuchung verweise ich auf meinen Aufsatz »Das Mazzenfest des Hiskia«, in: Festschr. Elliger, Neukirchen/Kevelaer 1971.

322 Dieser Sachverhalt schwebte schon *J. W. Rothstein* vor (»Es ist fraglich, ob im ursprünglichen Zusammenhang des Kapitels überhaupt

Wenn dem so ist, dann erscheint die historische Glaubwürdigkeit des Berichts in einem ganz anderen Licht. Denn das Mazzenfest war ja ein uraltes Wallfahrtsfest (Ex 34,18; 23,15; Dtn 16,16), so daß eine diesbezügliche Initiative Hiskias keinerlei Neuerung darstellte. Welch hatte durchaus den richtigen Ansatz, wenn er überlegte: Hätte Hiskia die Nordisraeliten zu einem Mazzenfest eingeladen, so wäre seine Aktion erklärbar und sogar natürlich gewesen. Denn er hätte ihnen dann Gelegenheit gegeben, an einem angestammten Wallfahrtsfest teilzunehmen, dessen Feier für sie unmöglich geworden war, seit die assyrischen Eroberer ihr Land verwüstet und ihre Heiligtümer zerstört hatten. Welch verbaut sich dann aber den richtig eingeschlagenen Weg, wenn er fortfährt: »Nun aber hebt der chronistische Bericht durchgehend hervor, daß die Einladung des Königs nach Jerusalem einem Pesach galt«[323]. Es bleibt ihm dann kein anderer Ausweg offen, als unter Hinweis auf das deuteronomische Gesetz der Pesachzentralisation und auf den nordisraelitischen Ursprung des Deuteronomiums festzustellen, das zentrale Pesach des Hiskia sei nur für die Judäer, nicht aber für die Nordisraeliten eine Neuerung gewesen. In Juda habe der König als Vertreter der davidischen Dynastie auf Gefolgschaft hoffen dürfen. Den Nordisraeliten aber habe er die willkommene, durch die assyrische Eroberung verunmöglichte Gelegenheit geboten, im Sinn ihres Gesetzes Pesach an einem Heiligtum zu begehen.

H.-J. Kraus ist dem wahren Sachverhalt näher gekommen, wenn er bemerkt, die Frühjahrsfeier des Hiskia stehe unter dem Oberbegriff »Mazzenfest«, der das Pesach mit einschließt.[324] Kraus bringt damit die Notiz des Chronisten in Zusammenhang, Salomo habe an den Sabbaten, Neumonden sowie am Mazzenfest, am Wochenfest und am Laubhüttenfest auf dem Brandopferaltar des Jeru-

---

vom Passah die Rede war« [Kautzsch/Bertholet, Das Alte Testament deutsch II, Tübingen [4]1923, 660]), dem *Rudolph,* Chronikbücher (Anm. 302) 299 Anm. 2, zu Unrecht widerspricht.

[323] »Yet C's account emphasizes throughout that the royal invitation was to come to Jerusalem for passover« (Chronicler [Anm. 316] 133).

[324] *Kraus,* Zur Geschichte … (Anm. 28) 65.

salemer Tempels geopfert (2 Chr 8,12f).[325] »Solange Israel als Zwölfstämmeverband auch politisch noch eine Einheit bildete, könnten in Jerusalem die alten amphiktyonischen Jahresfeste gefeiert worden sein«[326]. Diese Beobachtung von Kraus erhält ihr volles Gewicht, wenn nach der ursprünglichen Überlieferung, wie sich gezeigt hat, Hiskia nur zu einem Mazzenfest einlud. Dann verstehen wir auch die zur Grundschicht gehörende Bemerkung von Vers 26, dergleichen sei in Jerusalem seit den Tagen Salomos nicht mehr vorgekommen.

Relativ unwichtig ist neben diesem wesentlichen Sachverhalt die Frage, was es mit der Verschiebung des Festes auf den zweiten Monat auf sich habe. Sicher stammt die in Vers 3 gegebene Begründung erst vom letzten Bearbeiter. S. Talmon hat für seine These, Hiskia habe sich mit dem Datum dem nordisraelitischen Kalender angepaßt,[327] da und dort Gefolgschaft gefunden.[328] In Wirklichkeit dürfte es sich einfach um eine Harmonisierung mit den Daten von 29,17.20 handeln, die nötig wurde, als die ursprünglich selbständige Erzählung von der Mazzenfeier des Hiskia vom Chronisten in den Komplex seiner Hiskia-Geschichte eingesetzt wurde.[329]

---

325 1 Kön 9,25: »Salomo opferte dreimal im Jahr.«

326 Zur Geschichte ... (Anm. 28) 64.

327 Divergences in Calendar-Reckoning in Ephraim and Judah: VT 8 (1958) 48-74.

328 So *J. M. Myers*, II Chronicles, Garden City 1965, 178. Auch ich habe in DBS VI, 1133 damit sympathisiert. Bedenken äußert *Moriarty*, (Anm. 319) 405.

329 Schon *Rothstein* (Anm. 322) hat bemerkt, daß Kap. 30 ohne Schwierigkeit aus dem Zusammenhang herausgelöst werden könnte und daß der Anfang von Kap. 31 gut, ja besser, an Kap. 29 anschlösse.

VII. Das jüdische Pesach

1. Jüdisches Pesach im Wandel der Zeit

Das Studium der nachexilischen Pesachverordnungen hat ein Doppeltes ergeben: Zentralisierung der Feier auf den Tempel zu Jerusalem und zugleich Betonung des häuslichen Charakters des Ritus (besonders im grundlegenden Ritual Ex 12,1-14). Unter diesem doppelten Aspekt: Schlachtung der Opfertiere am Tempel und häusliches Mahl, wurde das Pesach von den Juden bis zur Zerstörung des Tempels im Jahr 70 n. Chr. gefeiert, also auch zur Zeit Jesu. Weil die Schlachtung des Lammes an den Tempel gebunden war, konnte sie nach der Zerstörung des Tempels nicht mehr geschehen. Seither feiern die Juden das Pesach mit einem Mahl ohne Paschalamm. Einzig bei den *Samaritanern* hat sich der alte nomadische Ritus erhalten. Sie schlachten und essen noch das Paschalamm nach alter Weise auf dem Berg Gerizzim, wo sie über das Pesachfest während vierzig Tage in Zelten leben. Diese Pesachfeier ist von Zuschauern mehrmals beschrieben worden, am ausführlichsten von J. Jeremias.[330]

Für die *jüdische Feier* bietet die Bibel lediglich die dürftigen Hinweise, die sich im *Neuen Testament* finden.[331] Hingegen widmet die *Mischna* der Pesachverordnung den ganzen Traktat Pesachim.[332] Zwar wurde die Mischna erst nach der Zerstörung des Tempels redigiert, jedoch gehen ihre Materialien auf eine bedeutend frühere Zeit zurück. So setzt der Traktat Pesachim die Existenz des Tempels noch voraus, und wir haben somit hier eine Beschreibung der Pesachfeier, wie sie zur Zeit Jesu in Übung war. Zu ergänzen sind

---

330 Siehe Anm. 248.

331 Vgl. S. 35.

332 Vgl. S. 42. Ausgabe mit deutscher Übersetzung, Einleitung und Kommentar in der sog. »Gießener Mischna«: *G. Beer*, Pesachim, Gießen 1912. Vgl. dazu *H. L. Strack/P. Billerbeck*, Kommentar zum Neuen Testament aus Talmud und Midrasch IV, München 1928, Nachdruck 1965, 41-76.

die Anweisungen der Mischna durch die Mitteilungen des Josephus Flavius[333], des Philo[334] und des Jubiläenbuches[335].
In seiner wesentlichen Struktur hat sich der Pesachritus[336] bei den Juden bis zum heutigen Tag unverändert erhalten. Allerdings sind im Lauf der Jahrhunderte noch neue Elemente hinzugekommen, von denen die jüngsten erst aus dem 15. Jahrhundert stammen. Außerdem machen sich abweichende liturgische Gepflogenheiten, wie sie sich in den verschiedenen Gegenden und Strömungen des Judentums herausgebildet haben, auch beim Pesachritual bemerkbar.

2. Der Verlauf der Feier

a) Die bᵉdīḳāh

In der Nacht vom 13. auf den 14. Nisan wird die sogenannte *bᵉdīḳāh* (»Suche«) durchgeführt, das heißt, der Hausvater persönlich muß mit einer kleinen Laterne oder Kerze das ganze Haus nach der letzten Spur von Gesäuertem absuchen (vgl. 1 Kor 5,7). Dieses muß bis 11 Uhr des folgenden Morgens gegessen werden; was übrig bleibt, ist um 12 Uhr zu verbrennen.[337] Das Arbeiten ist grundsätzlich erlaubt bis zum Mittag des 14. Nisan.

b) Das Opfer am Tempel

In biblischer Zeit wurden am Nachmittag des 14. Nisan die *Lämmer* im Tempel *geschlachtet.* Um die Ordnung besser wahren zu können und einen zu großen Andrang am Tempel zu vermeiden, teilte man die ganze Festmenge in drei Gruppen ein. Wenn die erste Gruppe den Vorhof betreten hatte, wurden die Tore geschlossen und Trompeten geblasen. Die Priester stellten sich in zwei langen

---

[333] Vgl. S. 40-42.
[334] Vgl. S. 39f.
[335] Vgl. S. 36f.
[336] Die Juden gebrauchten für den Ritus die Bezeichnung »Seder« (= Ordnung); entsprechend nennen sie den Pesachabend »Sederabend«.
[337] Kostbare Güter von Gesäuertem (*ḥāmēṣ*) können vorübergehend auch an Nichtjuden verkauft werden.

parallelen Reihen auf vom Eingang des Vorhofs bis zum Brandopferaltar, ausgerüstet mit goldenen und silbernen Schalen (und zwar hatte die eine Reihe lauter goldene, die andere lauter silberne Schalen).

Der Israelit, der sein Opferlamm herbeibrachte, tötete es selbst, während der zunächst stehende Priester das Blut in seiner Schale auffing. Diese wurde nun von einem Priester zum anderen weitergereicht, bis der letzte, der dem Altar am nächsten stand, das Blut an den Fuß des Altares goß. Der eigentliche Opferakt, die Tötung des Lammes, wurde also nicht vom Priester, sondern vom Gläubigen selbst vollzogen (Überrest der alten häuslichen Feier), weshalb Philo[338] sagt, an diesem besonderen Tag werde das ganze Volk, jung und alt, zur Würde des Priestertums erhoben. Im Tempelvorhof waren besondere Vorrichtungen zum Aufhängen und Schlachten der Opfertiere angebracht. Nachdem die Priester die Fettstücke des Lammes auf dem Brandopferaltar verbrannt hatten (vgl. 2 Chr 35,14), nahm der Gläubige sein geschlachtetes Tier auf die Schulter und trug es nach Hause, wo es am Ast eines Granatapfelbaums über dem Feuer gebraten und dann gegessen wurde. Der Opferritus im Tempel wurde vom Gesang des *Hallel* (Ps 113-118) begleitet. Der gleiche Ablauf wiederholte sich für die zweite und die dritte Gruppe der Festmenge.

Die ganze Schlachtung mußte bis Sonnenuntergang beendet sein. Das tägliche Abendopfer (vgl. Num 28,8) wurde an diesem Tag um eine Stunde vorverlegt, damit es nicht mit der Schlachtung der Lämmer kollidierte. War der folgende Tag ein Sabbat, wurde es um zwei Stunden vorverlegt, denn in diesem Fall mußte die Schlachtung der Lämmer beschleunigt werden. Die Darbringung von Opfern war zwar am Sabbat erlaubt (vgl. Mt 12,5), nicht aber das Braten des Lammes zu Hause. Dieses hatte somit vor Einbruch der Dunkelheit zu geschehen, und entsprechend mußte der Akt am Tempel früher erfolgen.

c) Das häusliche Mahl

Die Ansammlung so vieler Pilger in Jerusalem (das ganze in Palästina lebende jüdische Volk sowie die Pilger aus der Diaspora)

---

338 De spec. leg. II, 145; vgl. S. 39.

brachte es mit sich, daß das Mahl nicht nur in natürlichen, sondern auch in ad hoc gebildeten Familien gehalten werden mußte: eine Anzahl von Leuten tat sich zu einer *ḥăbūrāh* (»Genossenschaft«) zusammen. Auf diese Weise könnte auch Jesus mit seinen Jüngern das Pesach gefeiert haben. Die Mischna verbietet jedoch, daß eine solche *ḥăbūrāh* ausschließlich aus Frauen, Kindern und Sklaven bestehe, weil dies nach der zeitgenössischen Auffassung der Würde des Mahles zuwider wäre. Im übrigen kann eine *ḥăbūrāh* sehr groß sein; sie darf über hundert Personen umfassen, vorausgesetzt, daß jeder vom Pesachlamm noch einen Bissen bekommt, der wenigstens so groß ist wie eine Olive.

Der letzte Abschnitt (X) des Traktats Pesachim handelt vom Mahl selbst. Man schenkte zur Zeit Jesu der Bestimmung von Ex 12 keine Beachtung mehr, wonach die Feiernden die Haltung von Wanderern einnehmen und in Hast essen sollen. Das Mahl hatte den Charakter eines griechisch-römischen Banketts angenommen, und so bestimmt die Mischna ausdrücklich, daß selbst die Ärmsten das Mahl liegend halten sollen,[339] in der Haltung also, in der die Freien der Antike ihre Gastmähler hielten. Das Pesach ist ja die Gedächtnisfeier der Befreiung Israels, bei der sich somit alle Glieder des Volkes als Freie gebärden sollen;[340] daher auch die Vorschrift für alle Teilnehmer, bei diesem Mahl vier Becher Wein zu trinken, weil dies zur Festlichkeit des Mahles gehört.

Das Mahl, auf das sich die Tischgenossen durch Fasten vorbereitet haben, beginnt mit dem Einschenken[341] des ersten Bechers. Dabei wird ein doppelter Lobspruch *(bᵉrākāh)* gesprochen, über den Wein und über den Tag.[342] Dann wird der erste Becher getrunken.

---

[339] Pes. X, 1a. Diese Haltung nahmen auch Jesus und seine Jünger beim letzten Mahl ein (vgl. Lk 22,14 und Joh 13,12: ἀνέπεσεν; Mk 14,18: ἀνακειμένων).

[340] Eine der Fragen, die das Kind nach dem Einschenken des zweiten Bechers zu stellen hat, lautet: »In allen anderen Nächten essen wir sitzend oder liegend, in dieser Nacht nur liegend.« Zur Sitte des Liegens vgl. *Beer*, Pesachim (Anm.332) 188f. Heute halten die Juden das Mahl nach der üblichen Sitte sitzend.

[341] Genau »Mischen« (*msg*); zur Zeit Jesu wurde der Wein mit Wasser gemischt getrunken.

[342] Nach Schammai soll zuerst der Segen über den Tag, dann der Segen

Hernach wäscht der Hausvater (beziehungsweise der Vorsitzende) sich die Hände.[343] Dann nimmt er grünes Kraut, *karpas* genannt[344] (Petersilie, Sellerie, Lattich u. a.), taucht es in Salzwasser und spricht dazu wiederum eine Beracha: »Gepriesen seist du, Herr, unser Gott, König des Alls, der die Frucht des Ackerbodens erschafft.« Dann ißt er davon und gibt gleicherweise auch den übrigen Tischgenossen. Von diesem Zusammenhang her ließe sich nach manchen Auslegern Joh 13,26 verstehen, wo Jesus dem Judas den Bissen reicht.[345]

Die Kräuter haben den Charakter einer Vorspeise. Nun folgt der Hauptteil des Mahles. Im heutigen Ritus läßt der Hausvater zunächst eine feierliche Einladung an alle Armen und Hungrigen ergehen, sich am Mahl zu beteiligen. Im Gegensatz zu den übrigen Texten des Pesachritus, die hebräisch gesprochen werden, ergeht diese Einladung auf aramäisch. Dies deutet auf ihr hohes Alter hin. Sie muß aus der Zeit stammen, da man in Palästina aramäisch redete und Hebräisch vom Volk nicht mehr verstanden wurde. Die Einladung war demnach an das Volk gerichtet und durchaus ernst gemeint. Im Orient, wo sich das ganze Leben viel mehr unter den Augen der Öffentlichkeit abspielt als bei uns, wurde auch das Pesachmahl nicht bei verschlossenen Türen gehalten. Wir dürfen uns

---

über den Wein gesprochen werden; nach Hillel umgekehrt: zuerst der Segen über den Wein, dann der Segen über den Tag (Pes. X,2). Die Ordnung des Hillel ist die heute übliche.

343 Zur Zeit Jesu taten dies vermutlich alle Tischgenossen, und dies wäre nach *P. Benoit* der Ort, an dem wir uns die Fußwaschung Joh 13, 1-15 vorstellen könnten; vgl. Les récits de l'institution de l'Eucharistie et leur portée, in: Exégèse et Théologie I, Paris 1961, 210-239, hier 215; deutsch: Düsseldorf 1965, 86-96, hier 89f.

344 Die Bedeutung des Wortes *karpas* ist unbekannt.

345 So *Benoit* (Anm. 343). Das Joh 13,26f.30 gebrauchte Wort ψωμίον kann jedoch kaum etwas anderes als einen *Brot*bissen bedeuten (es ist Diminutiv von ψωμός, mit dem in der LXX immer Brot gemeint ist, wie ja auch die Vg in Vs. 26 *panem* übersetzt). Wollte man den Judasbissen vom Grünzeug verstehen, müßte man annehmen, es sei dazu auch Mazze gereicht worden, eine Annahme, die allerdings durch die Mischna gestützt wird, wo im Zusammenhang mit dem Grünzeug von *pat* (= Brotbissen) die Rede ist (Pes. X, 3a).

somit vorstellen, daß die Einladung tatsächlich gehört und daß ihr auch Folge geleistet wurde.[346]

Dann wird der zweite Becher eingeschenkt. Zur Zeit des Tempels wurde davor das Paschalamm aufgetragen.[347] Dann stellt der Jüngste der Tischgenossen vier Fragen über die Bedeutung verschiedener Riten.[348] Die Fragen geben Anlaß, die Auszugsgeschichte zu erzählen.[349] Wichtig ist dabei der Passus:

> »Und wären wir auch alle Weise, alle Verständige, alle Greise, alle Kenner der Thora, es bliebe dennoch unsere Pflicht, den Auszug aus Ägypten zu erzählen, und je ausführlicher einer den Auszug aus Ägypten erzählt, um so lobenswerter ist er.«

Die Erzählung der Auszugsgeschichte dient also nicht nur dazu, die Tischgenossen über etwas zu belehren, was sie vielleicht noch nicht wissen. Es ist vielmehr *Pflicht*, den Auszug zu erzählen. Die Erzählung ist ein wesentlicher Bestandteil des Pesachritus. Dieser ist ja *Gedächtnis* des Auszugs aus Ägypten, seine sakramentale Vergegenwärtigung.

Die Erzählung des Auszugs mündet aus in die Rezitierung des ersten Teils des *Hallel*, der Psalmen 113 und 114. Darauf wird der zweite Becher getrunken, und es folgt das eigentliche *Mahl*. Dieses wird damit eingeleitet, daß der Hausvater über das ungesäuerte Brot einen doppelten Segen spricht (den gewöhnlichen Segen für das Brot [350] und einen besonderen Segen für die Mazze[351]) und, nach-

---

346 Vgl. *Ph. Schlesinger/J. Güns*, Die Pessach-Haggadah, Tel Aviv 1962. — Man scheint sich in späterer Zeit nicht mehr streng an die Vorschrift von Ex 12,48 gehalten zu haben, daß jeder »Fremde« (= Nichtisraelit), der das Pesach mitfeiern will, beschnitten werden muß. Tatsächlich laden heute die Juden gerne nichtjüdische Freunde und Gäste zum Pesachmahl ein.

347 Vgl. Pes. X,3c.

348 Warum Mazzenbrot?, warum Bitterkraut?, warum zweimaliges Eintunken der Kräuter?, warum liegende Haltung? (zur letzten Frage vgl. Anm. 340).

349 In biblischer Zeit scheinen allerdings Fragen und Auszugsgeschichte ihren Platz während oder nach dem Mahl gehabt zu haben (vgl. *N. N. Glatzer*, The Passover Haggadah, New York 1953, 6f).

350 »Gepriesen seist du, Herr, unser Gott, König des Alls, der das Brot aus der Erde hervorbringt.«

dem er selber davon gegessen hat, jedem Tischgenossen ein Stück abbricht und reicht.[352] Sodann nimmt er von den Bitterkräutern, tunkt sie in die Charoseth,[353] spricht die Beracha[354] und verfährt damit wie bei der Mazze.

Im heutigen Pesachritus wird hier erst das Mahl aufgetragen. Für dieses selbst besteht keine besondere Anweisung, und die Unterhaltung und Fröhlichkeit kann dabei ihren freien Lauf nehmen. Nach dem Mahl wird der dritte Becher eingeschenkt, und es beginnt das *Dankgebet*.[355] Am Ende des Dankgebets wird der dritte Becher ausgetrunken und gleich darauf der vierte eingeschenkt. Es ist jedoch zweifelhaft, ob zur Zeit Jesu die Praxis des vierten Bechers schon bestand. Wahrscheinlicher ist, daß man damals erst drei Becher kannte.[356] Dann wird der zweite Teil des *Hallel* gesprochen (Pss 115-118 und 136). Dabei brechen, besonders am Ende von Ps 118, die eschatologischen Hoffnungen durch. Bei Vers 25:

»Herr, hilf uns doch!
Herr, beglücke uns doch!«

wird jede der beiden Vershälften zweimal gesprochen, und auch der folgende Vers 26 »Gesegnet, der da kommt im Namen des Herrn« ist für die Feiernden mit messianischer Spannung geladen. Für die Theologie des Pesachfestes ist dies von großer Bedeutung: Im Pascha wird die endzeitliche Zukunft schon vorausgenommen, sie wird Gegenwart, wie auch die Vergangenheit Gegenwart wird.

---

351 »Gepriesen ..., der uns durch seine Gebote geheiligt hat und uns geboten hat, Mazze zu essen.«

352 Beim letzten Mahl Jesu hätten bei dieser Geste die eucharistischen Worte über das Brot ihren Platz (vgl. *Benoit* [Anm. 343] 215f).

353 Ein Mus aus Äpfeln, Nüssen und Zimt, mit Wein angerührt.

354 »Gepriesen ..., der uns durch seine Gebote geheiligt hat und uns geboten hat, bittere Kräuter zu essen.«

355 Im Pascharahmen des letzten Mahles Jesu sind jedenfalls die eucharistischen Worte Jesu über den Wein beim dritten Becher einzuordnen. In den Berichten der Evangelien folgen die beiden eucharistischen Gesten unmittelbar aufeinander (Mk 14,22-24 par), weil in der christlichen Liturgie das dazwischen liegende Sättigungsmahl weggefallen war und infolgedessen die Segnung des Brotes und des Weins einander unmittelbar folgten (*Benoit* [Anm. 343] 216; deutsch: 90). Immerhin wird bei Paulus noch deutlich, daß die Segnung des Brotes *vor* dem Mahl, die Segnung des Weins erst *nach* dem Mahl

Die Vergangenheit wird zur Gegenwart vor allem in der liturgischen Erzählung vom Auszug aus Ägypten, die, wie wir sahen, im Pesachritus einen zentralen Platz einnimmt. Auch die letzten Anweisungen der Mischna zum Pesach schreiben vor, daß in der Pesachfeier für die Tischgenossen die Vergangenheit zur Gegenwart werde. Es heißt da:

> »In jedem Zeitalter ist jeder verpflichtet, sich so anzusehen, als wäre er selbst aus Ägypten ausgezogen ... Deshalb sind wir verpflichtet zu danken, zu preisen, zu loben, zu verherrlichen, zu erheben, zu erhöhen den, der an uns und an unseren Vätern alle diese Wunder getan hat. Er hat uns herausgeführt aus der Knechtschaft in die Freiheit, aus dem Kummer in die Freude, aus der Trauer in die Festlichkeit, aus der Finsternis in das große Licht und aus der Knechtschaft in die Erlösung. Wir wollen vor ihm sprechen: Halleluja!«[357]

Für die jüdische Theologie umschließt also das Pesach Vergangenheit, Gegenwart und Zukunft. Die vergangene wie die zukünftige Heilstat Gottes wird für die Feiernden zur gegenwärtigen Heilstat. Die Feier schaut zunächst auf die *Vergangenheit* zurück. Die einzelnen Elemente des Ritus werden in der Bibel selbst[358] wie in den Texten des Rituals von den verschiedenen historischen Elementen des Auszugs her erklärt. Die Pesachfeier soll ja ein *zikkārōn* sein, ein Gedächtnis der göttlichen Heilstat (Ex 12,14). »Gedächtnis« bedeutet aber hier, wie wir sahen, nicht bloße Erinnerung an das geschichtliche Geschehen, sondern dessen sakramentale Vergegenwärtigung. Das Heil der Vergangenheit wird durch seine liturgische Darstellung zum *gegenwärtigen Heil.* Dies ist der Sinn der Anweisung Ex 12,42: »Eine Wachenacht war es für Jahwe, um sie aus Ägypten herauszuführen. Das bedeutet: Diese Nacht ist für Jahwe von allen Söhnen Israels bis in ihre künftigen Geschlechter wachend

---

erfolgte (1 Kor 11,25: »desgleichen nach dem Mahl auch den Becher«). Diese Formel hat sich bis heute in der Liturgie erhalten.

356 Vgl. *Benoit,* aaO. 215; deutsch: 90.

357 Pes. X,5bc; vgl. auch Pesach-Haggadah.

358 Vgl. S. 60-62.

zuzubringen.« Wie einst Jahwe gewacht hat in der Nacht, um Israel zu retten, so soll Israel durch alle Geschlechter wachen in der Nacht, um dieser Rettung teilhaftig zu werden. Dasselbe meint die Mischna, wenn sie sagt: »In jedem Zeitalter ist jeder verpflichtet, sich so anzusehen, als wäre er selbst aus Ägypten gezogen«, und der Vater[359] soll nach dem Text des Rituals seinem Kind den Sinn der Pesachfeier so erklären: »(dies geschieht) um dessetwillen, was der Herr an *mir* getan, als *ich* aus Ägypten auszog«.

Doch war die Pesachfeier nicht allein auf die Vergangenheit orientiert, sondern auch auf die *Zukunft*. Die ganze biblische Geschichtsschreibung und besonders die priesterliche ist deshalb so sehr an der Vergangenheit interessiert, weil sie in die Zukunft blickt und an eine Erfüllung der Vergangenheit in der Zukunft glaubt.[360] »Die Vergangenheit ist das große Unterpfand der Zukunft ... Gerade weil Israel von der Hoffnung auf eine in der Vergangenheit in Wort und Tat verheißene Zukunft lebt, ist die Wirklichkeit dieser Vergangenheit für Israel eine entscheidende Frage.«[361] Es scheint, daß sich der eschatologische Charakter des Pesach in den letzten vorchristlichen Jahrhunderten immer mehr verdichtet hat, und als nach der Zerstörung des Tempels diese Erwartung zerschlagen schien, hat sie neuen Ausdruck gefunden in der Hoffnung auf den Wiederaufbau Jerusalems. Damals hat Rabbi Akiba dem Pesachritual die Bitte hinzugefügt:

> »So möge der Herr, unser Gott und der Gott unserer Väter, uns andere Feiertage und Feste, die uns zum Heil entgegenkommen, erreichen lassen, erfreut durch den Aufbau deiner Stadt und frohlockend in deinem Dienst . . . Dann werden wir dir anstimmen ein neues Lied über unsere Erlösung, über die Befreiung unseres Lebens.«[362]

So steht die rituelle Feier der Erlösung Israels im Pesach zwischen ihrem historischen Geschehen in der Vergangenheit und ihrer endzeitlichen Erfüllung in der Zukunft. Über beiden aber waltet die gött-

---

[359] Andere Lesart: *'att*, also die Mutter.

[360] Vgl. *M. Noth*, Die Gesetze im Pentateuch, Halle 1940, 69f (= Ges. Stud. zum Alten Testament, München 1957, 110-112).

[361] *H. Renckens*, Urgeschichte und Heilsgeschichte, Mainz 1959, 23f.

[362] Pesach-Haggadah; vgl. Pes. X,6c.

liche Treue und Barmherzigkeit als immer lebendige Gegenwart. Somit kommt der israelitischen Pesachfeier jene dreifache Sinnhaftigkeit zu, die Thomas von Aquin dem Sakrament zuerkennt. Es ist commemoratio praeteriti, demonstratio praesentis et prognosticum futuri: ein Gedächtnis des Vergangenen, ein Erweis des Gegenwärtigen und ein Kennzeichen des Zukünftigen.[363] Daher ist es voll berechtigt, das *Pesach ein Sakrament Israels* zu nennen.

[363] Vgl. S. Th. III,60,3.

VIII. Pesach in Qumran

Die Frage nach dem Pesach der Qumrangemeinde[364] ist unlöslich verbunden mit derjenigen nach dem Kalender von Qumran. Denn es steht fest, daß die Gemeinde von Qumran einen anderen Kalender befolgte als das pharisäische Judentum. Der offizielle jüdische Kalender zur Zeit Jesu war ein lunisolarer Kalender, das heißt die Monate waren Mondmonate; das Jahr hatte somit 354 Tage. Die Ausrichtung auf die Sonne geschah in der Weise, daß ungefähr alle drei Jahre ein Schaltmonat eingeschoben wurde, um die Differenz zwischen dem Mond- und Sonnenkalender auszugleichen. Schon vor der Entdeckung der Qumrantexte war indes beobachtet worden, daß gewisse jüdische Apokryphen, vor allem das Jubiläenbuch und das erste Henochbuch, einen reinen Sonnenkalender von 364 Tagen vertreten, von dem sich auch deutliche Spuren in der Bibel finden (Ezechiel, die priesterschriftlichen Stücke des Pentateuch, Chronikbücher).

Dieser Kalender tritt uns nun auch in den Schriften von Qumran entgegen.[365] Das Jahr besteht darin aus vier Quartalen von je 91 Tagen, was zusammen 364 Tage ergibt. Jedes Quartal hat drei Monate, von denen je der erste und der zweite 30 Tage, der dritte 31 Tage zählt. Der erste, vierte, siebte und zehnte Monat beginnt mit einem Mittwoch, der zweite, fünfte, achte und elfte infolgedessen mit einem Freitag und der dritte, sechste, neunte und zwölfte mit einem Sonntag. Da die Monate dieser dritten Gruppe je 31 Tage

---

364 Vgl. *H. Haag*, Das liturgische Leben der Qumrangemeinde: Arch. für Liturgiewiss. X/1 (Regensburg 1967) 78-109, hier 86-88.

365 Vgl. *D. Barthélemy*, Notes en marge de publications récentes sur les manuscrits de Qumran: RB 59 (1952) 187-218, hier 199-203. *A. Jaubert*, Le calendrier des Jubilés et de la secte de Qumran. Ses origines bibliques: VT 3 (1953) 250-264. *Dies.*, Le calendrier des Jubilés et les jours liturgiques de la semaine: VT 7 (1957) 35-61. *S. Talmon*, The Calendar Reckoning of the Sect from the Judaean Desert, in: Scripta Hierosol. 4, Jerusalem 1958, 162-199. *A. Strobel*, Zur Funktionsfähigkeit des essenischen Kalenders: RQ 3 (1961/62) 395-412. — Im besonderen zum Kalender des Jubiläenbuches: *E. Wiesenberg*, The Jubilee of Jubilees (ebd. 3-40). *H. Cazelles*, Sur les origines du calendrier des Jubilés: Bb 43 (1962) 202-212.

haben, beginnt der auf sie folgende Monat wieder mit einem Mittwoch, und der gleiche Zyklus setzt von neuem ein. Alle Jahre haben also, was den Kalender betrifft, genau das gleiche Gesicht. Ein gleiches Datum fällt immer auch auf den gleichen Wochentag. Somit fallen auch die Feste, die an ein bestimmtes Datum gebunden sind, immer auf den gleichen Wochentag. Neujahr (= 1. 1.) ist immer ein Mittwoch, ebenso Pesach (15. 1.), und da das Pesachmahl am Vorabend des ersten Feiertages gehalten wird, fällt es somit regelmäßig auf einen Dienstagabend.

Der Sonnenkalender dürfte auf die Phönizier zurückgehen und von den Israeliten bei der Landnahme übernommen worden sein. Im 10. Jahrhundert scheint ihn in Palästina der Gezer-Kalender zu bezeugen. So war es naheliegend, daß er im salomonischen Tempel Gültigkeit erhielt.[366] Nach dem Exil wurde dieser reine Sonnenkalender jedoch im bürgerlichen Leben durch den lunisolaren Kalender der Babylonier ersetzt. Im Jahr 312 v. Chr. verschaffte Seleukus Nikator dem ebenfalls lunisolaren makedonischen Kalender im Vorderen Orient und somit auch in Palästina gesetzliche Geltung.[367] Im *bürgerlichen* Leben brachte dieser syromakedonische Kalender den Juden wenig Neues. Anders im *religiösen* Leben. Denn der syromakedonische Kalender wurde in der seleukidischen Zeit auch im Tempel eingeführt, und dies scheint einer der Gründe gewesen zu sein, warum die essenischen Gruppen, die am alten priesterlichen Sonnenkalender festhielten, mit dem Tempel und der damals fungierenden Priesterschaft brachen und sich in die Wüste zurückzogen.

In Fragmenten eines Festkalenders, die in der vierten Höhle von Qumran gefunden wurden,[368] wird auch das Pesach erwähnt. Wir dürfen daraus schließen, daß dieses in Qumran begangen wurde. Dann aber konnte es nicht nach dem gleichen Ritus geschehen wie im pharisäischen Judentum. Denn dort war ja die Schlachtung des

---

366 Vgl. *J. Finegan,* Handbook of Biblical Chronology, Princeton 1964, 33-37. — *Cazelles,* Sur les origines ..., denkt eher an einen alten Nomadenkalender. Auf eine eingehende Diskussion dieser Frage wie auf eine vollständige Bibliographie muß hier verzichtet werden.

367 Vgl. *W. Eiß,* Der Kalender des nachexilischen Judentums: Welt d. Orients III, 1/2 (1964) 44-47.

368 Veröffentlicht von *J. T. Milik,* in: VTSuppl. 4, Leiden 1957, 25.

Paschalammes im Tempel obligatorisch. Die Qumranleute vermieden jedoch jeden direkten Kontakt mit dem Tempel. Überdies war das Datum, an dem die Schlachtung der Lämmer am Tempel erfolgte, nach dem dort geltenden lunisolaren Kalender geregelt. Dieses Datum stimmte in der Regel nicht mit dem nach dem Sonnenkalender festliegenden Pesachdatum von Qumran überein. Daraus muß geschlossen werden, daß das Pesach in Qumran ohne rituell geschlachtetes Pesachlamm begangen und dieses durch eine andere sakrale Mahlzeit ersetzt wurde. Diese Beobachtung stieß bei Bibel- und Liturgiewissenschaftlern vor allem deshalb auf ein ungewöhnliches Interesse, weil sie für die Widersprüche, die hinsichtlich der Chronologie des letzten Mahles und des Todes Jesu zwischen den Synoptikern und dem Johannesevangelium bestehen, eine Lösung anzubieten schien. Darüber im folgenden Kapitel.

IX. Das christliche Pascha

1. Die Eucharistie – das neue Paschamahl?

Ohne Zweifel verstanden die Synoptiker das Abschiedsmahl Jesu mit seinen Jüngern als Paschamahl (vgl. Mk 14,12-16 par; Lk 22, 14-16).[369] Dennoch läßt sich nicht eindeutig erkennen, ob es sich hierbei historisch um ein »streng rituelles ›Pesaḥ‹-Opfermahl«[370] beziehungsweise um ein antizipiertes Paschamahl[371] oder um ein feierliches Abschiedsmahl Jesu handelte, das erst nachträglich aus theologischen oder aus gottesdienstlichen Gründen als Paschamahl stilisiert wurde.[372] Diese Frage muß nicht nur deshalb offen gelassen werden, weil die zunächst von A. Jaubert vorgeschlagene[373] und dann vor allem von E. Ruckstuhl aufgenommene und erweiterte These,[374] Jesus habe nach dem qumranischen Kalender das Pascha gefeiert, kaum haltbar sein dürfte,[375] und weil auch die astrono-

---

[369] Vgl. *H. Schürmann*, Lk 22, 19b-20 als ursprüngliche Textüberlieferung: Bb 32 (1951) 364-392.522-541, hier 533 = Traditionsgeschichtliche Untersuchungen zu den synoptischen Evangelien, Düsseldorf 1968, 159-192, hier 185f.

[370] So *B. Schwank*, War das Letzte Abendmahl am Dienstag in der Karwoche?: Benedikt. Monatsschrift 33 (1957) 268-278, hier 278. Siehe auch die Anm. 387 genannten Autoren.

[371] So z.B. *E. Stauffer*, Jesus. Gestalt und Geschichte, Bern 1957, 86-90. *A. Bittlinger*, Das Abendmahl im Neuen Testament und in der frühen Kirche, Craheim 1969, 13f.

[372] *M. Dibelius*, Jesus, Berlin ³1960, 106f.110. *G. Bornkamm*, Jesus von Nazareth, Stuttgart ⁷1965, 147f. *W. G. Kümmel*, Die Theologie des Neuen Testaments nach seinen Hauptzeugen, Göttingen 1969, 80-84. Siehe auch die Anm. 389.397 genannten Autoren.

[373] *A. Jaubert*, La Date de la Cène. Calendrier biblique et liturgie chrétienne, Paris 1957. Eine (nicht vollständige) Übersicht über die von A. Jaubert entfachte Diskussion bietet *J. Carmignac*, Comment Jésus et ses contemporains pouvaient-ils célébrer la Pâque à une date non officielle?: RQ 5 (1964/66) 59-79, hier 76ff.

[374] *E. Ruckstuhl*, Die Chronologie des Letzten Mahles und des Leidens Jesu, Einsiedeln 1963, bes. 99-107.

[375] Vgl. dazu vor allem *J. M. Baumgarten*, The Calendar of the Book of Jubilees and the Bible: Tarbiz 32 (1962/63) 317-328. *J. Blinzler*,

mische Chronologie keine eindeutige Auskunft zu geben vermag,[376] sondern vor allem, weil die Abendmahlsberichte nicht einfach als historische Berichte verstanden werden können.[377]

Der Prozeß Jesu, Regensburg ⁴1969, 109-126. *H. Braun,* Qumran und das Neue Testament II, Tübingen 1966, 43-54 (mit Lit.).

[376] Vgl. *J. Jeremias,* Die Abendmahlsworte Jesu, Göttingen ⁴1967, 35: »Die astronomische Chronologie führt leider auf kein gesichertes Ergebnis. Sie stellt fest, daß wahrscheinlich Freitag, 7. April 30, und Freitag, 3. April 33, auf den 14. Nisan fielen, was der johanneischen Chronologie entsprechen würde. Sie schließt aber die Möglichkeit nicht völlig aus, daß Freitag, 27. April 31 (als erheblich schwächere Möglichkeit auch Freitag, 7. April 30), auf den 15. Nisan fiel, was mit der synoptischen Chronologie übereinstimmen würde. Als gesichertes Ergebnis gibt uns die Astronomie nur die Erkenntnis mit, daß in den Jahren 28, 29 und 32 n. Chr. — gleichviel, wie in diesen Jahren die Sichtverhältnisse um den Beginn des Monats Nisan waren — weder der 14. noch der 15. Nisan auf einen Freitag fallen konnte; diese Jahre fallen also mit Sicherheit als Todesjahre Jesu aus.«

[377] Vgl. *H. Schürmann,* Die Anfänge christlicher Osterfeier: ThQ 131 (1951) 414-425, hier 415 Anm. 5 = Ursprung und Gestalt. Erörterungen und Besinnungen zum Neuen Testament, Düsseldorf 1970, 199 bis 206, hier 200 Anm. 5: »Die Schwierigkeit, über den Paschamahlcharakter des letzten Abendmahles Jesu historisch gültige Aussagen zu machen, liegt in der literarischen Art sowohl der synoptischen als auch der johanneischen Berichte begründet, die Jesu letztes Mahl im Lichte und unter dem Einfluß urchristlicher (österlicher) Eucharistiefeier schildern..., und zwar im Lichte unterschiedlicher Gemeindepraxis verschieden (vgl. Mk 14,12 mit Jo 18,28)«. — Bereits 1948 hatte *E. Käsemann* in seinem Aufsatz: Anliegen und Eigenart der paulinischen Abendmahlslehre: EvTh 7 (1947/48) 263-283, hier 263 = Exegetische Versuche und Besinnungen I.II, Göttingen 1967, 11-34, hier 11 auf diesen Sachverhalt eindringlich hingewiesen: »So scheint der Hinweis angebracht, daß die neutestamentlichen Schriften uns zwar verschiedenartige Berichte und Anschauungen über das Abendmahl vorlegen, das ursprüngliche Faktum jedoch gerade durch ihr jeweiliges Verständnis weitgehend verdecken«. So dann auch *J. Schmid,* Das Evangelium nach Markus, Regensburg ⁴1958, 264.270; *W. Trilling,* Fragen zur Geschichtlichkeit Jesu, Düsseldorf ²1967, 129; *Bornkamm* (Anm. 372); *W. Marxsen,* Das Abendmahl als christologisches Problem, Gütersloh 1963, 7; *Jeremias,* Abendmahlsworte, 100-131; *E. Schweizer,* Das Herrenmahl im Neuen Testament: ThLZ 79 (1954) 577-592 = Neotestamentica. Deutsche und englische Aufsätze 1951-1963, Zürich/Stuttgart 1963, 344-370, u. a.

Für die Identität des letzten Mahles Jesu mit einem Paschamahl lassen sich ohne Zweifel einleuchtende Gründe anführen[378]:

(1) Im Gegensatz zu den vorangegangenen Tagen (Mk 11,11.19) verließ Jesus an dem Tag, an dem er abends mit seinen Aposteln das letzte Mahl feierte, Jerusalem nicht. Er begab sich vielmehr gerade am Abend dorthin (Mk 14,17), obgleich die Stadt zur Zeit des Paschafestes überfüllt war.[379] Dies ließe sich am einfachsten damit erklären, daß Jesus mit den Seinigen dort das Paschamahl gehalten hätte. Denn es war Vorschrift, das Paschalamm innerhalb der Tore von Jerusalem zu essen.[380]

(2) Nach 1 Kor 11,23 (vgl. Mk 14,30; Joh 13,30; 18,3) fand Jesu letztes Mahl in der Nacht statt, während üblicherweise die Hauptmahlzeit am späten Nachmittag eingenommen wurde.[381] Einzig das Paschamahl war von Anfang an eine Nachtmahlzeit.

(3) Im Gegensatz zu den üblichen Mahlzeiten Jesu, die sehr oft einen großen Teilnehmerkreis umfaßten (vgl. Mk 2,15; 14,3; Mt 11,19; Lk 7,36; 15,1f u. ö.), war Jesus beim letzten Mahl mit den Zwölfen allein. »Ob es Zufall ist, daß der kleine Kreis in etwa dem Passabrauch entspricht?«[382].

(4) Nach Mk 14,18-22 par bricht Jesus das Brot im Verlauf der Mahlzeit. Die gewöhnliche Mahlzeit *begann* jedoch mit dem Brot-

---

[378] Eine ausführliche Zusammenstellung aller Gründe, die für ein Paschamahl Jesu sprechen, findet sich bei *Jeremias*, Abendmahlsworte 35-56. Da jedoch nicht alle Argumente im gleichen Maße zu überzeugen vermögen, werden im folgenden nur die wichtigsten referiert.

[379] *Jeremias*, ebd. 36, rechnet mit über 100 000 Festfeiernden, die sich in den Tagen des Paschafestes in Jerusalem befanden.

[380] Vgl. die von *Jeremias*, ebd. 38 Anm. 1, gegebenen rabbinischen Belege.

[381] Vgl. *Strack/Billerbeck* (Anm. 332) II (1924, Nachdruck 1961) 204: »Im allgemeinen wurden bei den Juden im Lauf eines Tages zwei Mahlzeiten eingenommen, nur der Sabbat war durch drei Pflichtmahlzeiten ausgezeichnet ... Die Hauptzeiten des Essens waren die Vormittagsstunden u. die späteren Nachmittagsstunden: in jenen wurde das Frühstück ..., in diesen die Hauptmahlzeit ... eingenommen.« Ausführliche Belege finden sich auch bei *Jeremias*, Abendmahlsworte 39 Anm. 5-8.

[382] *Jeremias*, ebd. 41f.

brechen. Es ist deshalb ganz ungewöhnlich, daß Mk 14,22 ein Mahl beschrieben wird, bei dem das Brotbrechen *innerhalb* der Mahlzeit, wahrscheinlich erst nach dem vorausgegangenen Schüsselgericht (vgl. Vs. 20), erfolgte.[383] Auch dieser Zug paßt in die Annahme eines Paschamahles, da »die Passamahlzeit die einzige Familienmahlzeit im Jahr war, bei der ein Schüsselgericht (Mk 14,20) dem Brotbrechen (14,22) voranging«[384].

(5) Das letzte Mahl Jesu schloß mit dem »Lobgesang« (Mk 14,26; Mt 26,30), womit zweifelsohne die zweite Hälfte des Paschahallel gemeint ist, da das übliche Dankgebet nach der Mahlzeit (Mk 14,23; εὐχαριστήσας) unmöglich mit ὑμνεῖν bezeichnet werden kann[385].

(6) Nach dem Mahl kehrte Jesus nicht nach Bethanien zurück, wo er die vorhergehenden Nächte zugebracht hatte (Mk 11,11f.19). Dies würde wiederum durch eine Paschavorschrift verständlich, nämlich jene, in der Paschanacht den Bezirk Jerusalems nicht zu verlassen: »Daher scheint auch der ›Ölberg‹ sich zu erklären; Bethanien ... liegt außerhalb der Grenzen Jerusalems, der südliche Hang des Ölbergs wurde noch zum Stadtbezirk gerechnet«[386].

(7) Endlich spricht nach einzelnen Autoren für den Paschacharakter

---

383 Gegenüber der üblichen Auffassung, Mk 14,18.22 (»Und als sie sich hinlegten und aßen, sprach Jesus ... und als sie aßen, nahm er das Brot ...«) beziehe sich auf die Vorspeise, gibt *Jeremias,* ebd. 44 zu bedenken: »Es war ganz selbstverständlich, daß die gewöhnliche Mahlzeit mit dem Brotbrechen begann; nur bei dem hellenistischer Sitte folgenden Festmahl der oberen Zehntausend wurde außerhalb des Speisesaales eine Vorkost gereicht und erst, nachdem man sich im Speisesaal zu Tisch gelegt hatte, das Mahl mit dem Brotbrechen eröffnet. Aber eine solche im Vorzimmer gereichte Vorkost kann ἐσθιόντων αὐτῶν keinesfalls meinen, sondern nur die im Gang befindliche Mahlzeit.«

384 *Jeremias,* ebd.; ähnlich *Schmid* (Anm. 377) 259.

385 Vgl. *Strack/Billerbeck* (Anm. 332) IV,76: »Beachtenswert ist, daß, wie Mt 26,30 und Mk 14,26 für das Vortragen des Hallel das Verbum ὑμνεῖν verwandt wird, ebenso auch das Hallel selbst in der rabbinischen Literatur gelegentlich als *hīmnōn* = ὕμνος bezeichnet worden ist.« So auch *E. Lohmeyer,* Das Evangelium des Markus, Göttingen [14]1957, 311; *Jeremias,* Abendmahlsworte 49; *Schmid,* aaO. 259.

386 *Lohmeyer,* aaO.; ebenso *Jeremias,* ebd.; *Schmid,* aaO. 273.

des letzten Mahles Jesu gerade die Tatsache, daß der Gemeinderitus des Herrenmahles vom jüdischen Pesachritus *abweicht.*[387]

Nicht weniger eindrucksvoll sind freilich auch jene Argumente, die gegen die Annahme sprechen, es habe sich beim letzten Mahl Jesu um ein Paschamahl gehandelt:

(1) Nach E. Schweizer dürfte »die Perikope von der Zurüstung des Passamahles Mk. 14,12-16 . . . sicher in der alten Passionserzählung gefehlt haben. Nicht nur ist sie Johannes unbekannt . . . sie bereitet auch schon im Mk.-zusammenhang große Schwierigkeiten«[388]. Auch dürfte »der Einsetzungsbericht kaum ursprünglich mit diesem Rahmen verbunden gewesen sein. Wir lesen im jetzigen Zusammenhang: ›Und als sie sich hinlegten und aßen, sprach Jesus . . . Und als sie aßen, nahm er das Brot . . .‹ (V. 18.22). Diese Einleitung ›und als sie aßen‹ gehört offenkundig zu einem in sich ge-

---

[387] Vgl. vor allem *Jeremias,* ebd. 55f: »Zum Schluß sei noch darauf hingewiesen, daß die Nachricht der Synoptiker, Jesu letztes Mahl sei ein Passamahl gewesen, vom Ritus der Gemeinde abweicht. Die Gemeinde feiert das Abendmahl ja nicht nach dem Passaritus, auch nicht nur einmal jährlich, sondern täglich bzw. sonntäglich. Die Passareminiszenzen können mithin nicht aus der liturgischen Praxis stammen ... Wenn trotzdem die Synoptiker das letzte Mahl Jesu als Passamahl bezeichnen und diesen Zug nicht verwischen, so offenbar deshalb, weil die Erinnerung zu stark war, um vom herrschenden Ritus verdrängt zu werden.« So auch *B. Klappert,* Herrenmahl, in: Theologisches Begriffslexikon zum Neuen Testament II/1, Wuppertal 1969, 672f. Mit einem Paschamahl als Jesu letztem Mahl rechnen ferner *Schmid,* aaO. 268-274; *Schürmann* in den früheren seiner verschiedenen Monographien und Aufsätze zum Abendmahl (vgl. aber Anm. 395); *Benoit* (Anm. 343); *H. Zimmermann,* Die Eucharistie als das Paschamahl des Neuen Testamentes: Lebendiges Zeugnis, Heft 3, Paderborn 1965, 38-48, u. a.

[388] (Anm. 377) 351f. Zur Begründung führt Schweizer aus: »In V. 12 wird der Rüsttag zu den ἄζυμα gerechnet, was zu V. 1 nicht paßt, unrichtig ist und also nicht von einem Juden stammen kann, der den Festkalender kennt. Während in V. 10.17.20.43 von den ›Zwölfen‹ die Rede ist, heißen die Begleiter Jesu in V. 12-16 viermal ›die Jünger‹, was zwischen 13,1 und 16,7 nur noch 14,32 einmal vorkommt. Endlich kann Jesus nicht gut zwei Jünger vorausschicken und dann doch mit den ›Zwölfen‹ (V. 17) nachkommen.«

schlossenen Einsetzungsbericht, der noch nicht voraussetzt, daß wenige Verse vorher schon gesagt ist, Jesus sei mit seinen Jüngern am Essen gewesen«[389].

(2) Weder in Mk 14,17-21 noch in 14,22-25 erscheint irgendein Hinweis auf das Pascha.[390]

(3) Abgesehen von Lk 22,15 wird in keinem Abendmahlsbericht der Mittelpunkt des Paschamahles, das Lamm, erwähnt. Da Lk 22,15-18 das letzte Mahl Jesu jedoch im Licht einer *urchristlichen* Gemeinde-Paschamahlfeier schildert,[391] fällt dieser Abschnitt als Belegstelle für den historischen Verlauf des letzten Mahles Jesu aus.

(4) Die Deuteworte sind weder in ihrer Form an die bei der Pesachfeier üblichen angeglichen,[392] noch erscheinen sie an derselben Stelle im Verlauf des Mahles wie beim Paschamahl[393]: »Der Anlaß dieser (Deute-)Worte ist kaum ein anderer als das gewohnte Mahl, die Bräuche sind die eines frommen jüdischen Hausvaters, die Worte sind in dieser Einen Stunde begründet, die auf den drohenden Tod und das nahende vollendete Königreich Gottes sich richtet«[394].

Angesichts dieser Sachlage ist es nach H. Schürmann ratsamer, darauf zu verzichten, das letzte Mahl Jesu einfach als Erfüllung des alttestamentlichen Paschamahles zu deuten; denn »der neutestamentliche Befund erlaubt mit Sicherheit nur den Schluß auf den Festcharakter des letzten Mahles Jesu«[395].

---

[389] Ebd.; vgl. auch *ders.*, Das Evangelium nach Markus, Göttingen 1967, 169; *R. Bultmann*, Die Geschichte der synoptischen Tradition, Göttingen ²1931 (= ³1957) 283-287; *Lohmeyer* (Anm. 385) 302f; ähnlich *Marxsen* (Anm. 377) 17.

[390] Vgl. *Bultmann*, aaO. 285 Anm. 4; *K. G. Kuhn*, Über den ursprünglichen Sinn des Abendmahls und sein Verhältnis zu den Gemeinschaftsmahlen der Sektenschrift: EvTh 10 (1950/51) 508-527, hier 516-519. Vgl. auch Anm. 396.

[391] Vgl. *H. Schürmann*, Der Paschamahlbericht Lk 22,(7-14.)15-18, Münster 1953, Nachdruck 1968; *ders.*, Lk 22, 19b-20 (Anm. 369).

[392] Gedeutet werden: Paschalamm, ungesäuertes Brot und Bitterkräuter; vgl. Anm. 165.

[393] Die Deuteworte werden innerhalb der Pesach-Haggada nach Beendigung der Vorspeise gesprochen, Jesus hingegen verband seine Deutung mit dem Vor- und Nachtischgebet des (Haupt)mahles.

[394] *Lohmeyer* (Anm. 385) 309f.

[395] *H. Schürmann*, Jesu Abendmahlsworte im Lichte seiner Abendmahls-

Eine derartige Zurückhaltung läuft keineswegs Gefahr, einen wesentlichen Gesichtspunkt des letzten Mahles Jesu preiszugeben.[396] Bereits die Urchristenheit hatte ihre eucharistischen Mahlzeiten, das (sonntägliche) »Herrenmahl«, ja nicht einfach als Erneuerung eines Paschamahles Jesu, sondern als Fortsetzung der vielfältigen Mahlzeiten Jesu mit seinen Jüngern begangen. »Das urchristliche ›Herrenmahl‹ (1 Kor 11,20) ist nicht schlechthin als Wiederholung des letzten Abendmahles Jesu zu verstehen, das als ›Abschiedsmahl‹ ja auch gar nicht wiederholbar war. Vielmehr ist das tägliche Mahlhalten der Urgemeinde (vgl. Apg 2,42-46) die Fortsetzung der all-

---

handlung: Concilium 4 (1968) 771-776, hier 771 Anm. 3 = Ursprung und Gestalt, 100-107, hier 100 Anm. 3.

[396] Vgl. *Lohmeyer,* aaO. 309: »Selbst wenn man zugestehen möchte, daß der Abend dieser Feier zugleich der des jüdischen Passa war, so hat dieser Rahmen auf den Sinn des Abendmahles keinen Einfluß.« Ähnlich *Schmid* (Anm. 377) 264. Dieser Tatbestand wird selbst von *Jeremias* zugegeben: »Daß Jesus seine Deutung nicht mit der Passahaggada nach der Beendigung der Vorspeise verknüpft, sondern mit dem Vor- und Nachtischgebet des unmittelbar anschließenden Hauptmahles und daß sie sich dementsprechend auf Brot und Wein beschränkt, dürfte sich aus dem Wunsche Jesu erklären, seine neue Deutung mit der Austeilung zu verbinden« (Abendmahlsworte [Anm. 376] 55). Diese *neue* Deutung hatte den Sinn, »den Jüngern die Anteilgabe zu verdeutlichen. Das Essen vom Segensbrot und das Trinken vom Segenskelch soll ihnen nicht nur den Anteil am Segensspruch des Hausvaters Jesus vermitteln, sondern darüber hinaus Anteil am Heilswerk des Heilandes Jesus« (ebd. 228). Dieser Sinn der neuen Deutung hat nun aber gerade keine spezifische Beziehung zum Paschamahl, da (1) »Die Herstellung der Tischgemeinschaft ... bei jeder gemeinschaftlichen Mahlzeit im Ritus des Brotbrechens« erfolgt (ebd. 224) und (2) die Deuteworte eben die *Anteilgabe* an Jesu Heilswerk verdeutlichen sollen (ebd. 228). Keiner dieser beiden Gedanken bedarf notwendigerweise der Verbindung mit dem Paschamahl, vielmehr können beide genau so deutlich und vollkommen in einem einfachen Mahl zum Ausdruck kommen. Wenn Jeremias (ebd. 223) freilich schreibt: »Wenn Jesus wider Erwarten seine in der Passahaggada gegebenen Deutungen bei der Austeilung von Brot und Wein wiederholt hat ...«, so läßt sich die Behauptung einer solchen Wiederholung aus keinem der Abendmahlstexte stützen.

täglichen Tischgemeinschaft Jesu mit seinen Jüngern«[397]. Die beim eucharistischen Mahl entscheidenden Worte und Gedanken weisen deshalb weder in den Abendmahlsberichten der Synoptiker[398] noch in jenem des Paulus[399] eine spezifische Beziehung zum Paschamahl auf, noch ist eine derartige Beziehung bei Jesu eigenen Deuteworten anzunehmen.[400] Die uns im Neuen Testament überlieferten, maßgebenden Deuteworte erhalten vielmehr ihren Sinn und ihre Gestalt von der Bedeutung des *Todes* Jesu, den die Urchristenheit im Her-

---

[397] *Schürmann*, Jesu Abendmahlsworte ... (Anm. 395) 772 bzw. 104. So auch *Jeremias*, aaO. 60f; *Klappert* (Anm. 387) 669f. Anders *Schmid*, aaO. 265. Wohl zu skeptisch *Marxsen* (Anm. 377) 19ff, der es bezweifelt, historisch mit der Einsetzung des Abendmahls durch Jesus rechnen zu können, der vielmehr im »Herrenmahl« *nur* eine Fortsetzung jener Mahlzeiten sieht, die Jesus als eschatologisches Angebot mit den Menschen seiner Zeit und Umgebung gehalten hatte. Ähnlich *H. Braun*, Jesus. Der Mann aus Nazareth und seine Zeit, Stuttgart/Berlin 1969, 50: »Das letzte Mahl (Mark. 14,22-24) dürfte eine Zurückverlegung des in den hellenistisch-christlichen Gemeinden geübten Herrenmahls hinein in die letzten Tage Jesu sein; denn das Mahl trägt das Gepräge hellenistisch-sakramentaler Religiosität und ist in palästinensisches, auch qumranisches religiöses Denken schwer einzuordnen. Sein Passa-Charakter kann nur aus Mark. 14, 12-16 Par., nicht aus dem Einsetzungsbericht selbst abgeleitet werden und ist demzufolge völlig sekundär« (vgl. ebd. 76f).

[398] Siehe Anm. 396.

[399] Vgl. *P. Neuenzeit*, Das Herrenmahl, München 1960, 148: »Die These, der Zentralgedanke des Herrenmahles in der apostolischen Gemeinde sei Jesus als das Passalamm, ist also falsch. So wichtig das Passamotiv für die urchristliche Christologie sein mag, bis zu Paulus einschließlich wurde es kaum mit der Eucharistie in Beziehung gesetzt.« So auch *G. Bornkamm*, Herrenmahl und Kirche bei Paulus: ZThK 53 (1956) 312-349 = Studien zu Antike und Urchristentum, München 1959, 138-176; *H. Conzelmann*, Der erste Brief an die Korinther, Göttingen 1969, 119f.

[400] Dies wird selbst von jenen zugestanden, die daran glauben, daß Jesu letztes Mahl ein Paschamahl war, vgl. z. B. *Klappert* (Anm. 387) 673: Es ist »zu beachten, daß zwischen den Deuteworten des jüd. Passamahls und denjenigen Jesu zwar eine formale (daß hier überhaupt gedeutet wird), aber keine sachliche Analogie besteht. Der Rahmen des jüd. Passamahls veranlaßt also die Deuteworte Jesu, er erklärt sie aber nicht.« Vgl. auch Anm. 392-394.396.

renmahl verkündigte (1 Kor 11,26)[401] und um dessen Verständnis sie sich auch in ihrer Liturgie in unterschiedlicher Weise mit Hilfe des Alten Testaments gemüht hatte.[402]
Daß in der synoptischen Überlieferung dennoch ein starkes Interesse am Paschacharakter des letzten Mahles Jesu zum Ausdruck kommt, läßt sich aus theologischen und liturgischen Motiven erklären.[403] Nachdem der am Pascha oder Rüsttag geschehene Tod Jesu einmal als das wahre Paschaopfer verstanden wurde,[404] lag es nahe, das Herrenmahl mit seinem Gedächtnis des Sterbens Jesu entsprechend als Paschamahl zu deuten und somit auch das letzte Mahl Jesu als Paschamahl zu stilisieren. Denn es war nur natürlich, daß »eine Gemeinde, die in ›neuer‹, christlicher Weise das jüdische Paschafest weiterfeierte, ... das Vorbild für ihr neuartiges Tun im letzten Mahl Jesu (suchte) und . . . von daher Interesse an dem Paschamahlcharakter dieser ersten Eucharistiefeier (hatte). So sind die synoptischen Abendmahlberichte und die in ihnen verarbeiteten frühen Traditionen aller Wahrscheinlichkeit nach ein Spiegelbild urchristlicher Paschafeier im apostolischen Zeitalter«[405]. Diese Auffassung lebt in der lateinischen Kirche bis heute dadurch fort, daß sie für die Feier der Eucharistie ungesäuertes Brot vorschreibt.

---

401 *H. Schlier,* Die Verkündigung im Gottesdienst der Kirche, in: Die Zeit der Kirche, Freiburg ⁴1967, 244-264, hier 246-252; *Käsemann* (Anm. 377) 22. Vgl. Anm. 429.

402 Vgl. dazu zuletzt *F. Hahn,* Die alttestamentlichen Motive in der urchristlichen Abendmahlsüberlieferung: EvTh 27 (1967) 337-374.

403 Gegen *Jeremias,* Abendmahlsworte (Anm. 376) 55f; vgl. Anm. 387.

404 Zum Aufkommen der Vorstellung vom Opfertod Jesu vgl. *O. Kuß,* Der theologische Grundgedanke des Hebräerbriefes, in: Auslegung und Verkündigung I, Regensburg 1963, 281-328, hier 291-302. *H. Kessler,* Die theologische Bedeutung des Todes Jesu, Düsseldorf 1970, 265-296. *W. Schrage,* Das Verständnis des Todes Jesu Christi im Neuen Testament, in: Das Kreuz Jesu Christi als Grund des Heils, Gütersloh ³1969, 49-90, hier 77-90.

405 *Schürmann,* Die Anfänge ... (Anm. 377) 425 bzw. 205; vgl. auch *B. Lohse,* Das Passafest der Quartadecimaner, Gütersloh 1953. Anders *Schmid* (Anm. 377) 270, der mit einem bewußten Ausscheiden des Pascharituals aus den Abendmahlsberichten rechnet, da »all das, was am letzten Abendmahl jüdisch war, unwichtig geworden« sei.

2. Der Tod Jesu als Erfüllung des alttestamentlichen Pascha

Läßt sich Alter und Herkunft der bei den Synoptikern greifbaren Traditionen nicht mit Sicherheit bestimmen, so kann andererseits nicht bezweifelt werden, daß eine sehr frühe Überlieferung die Erfüllung des alten Pascha im Tod Jesu sah. Erstmals begegnet uns diese Sicht in 1 Kor 5,7, wo Paulus die Forderung nach Reinheit der Gemeinde mit dem Hinweis begründet, daß »unser Pascha (-lamm) ja geschlachtet[406] ist, Christus«. Damit spricht der Apostel zunächst aus, Christus sei das Paschalamm des neuen Israel. Er kann diese Deutung in der Gemeinde von Korinth offenbar als vertraut voraussetzen, obwohl diese das jüdische Pascha nie gefeiert hat.[407] Demnach läßt sich der Aussage gleichzeitig entnehmen, daß das Gedächtnis des Todes Jesu in der Gemeinde schon in einer jährlichen Feier begangen wurde (ἑορτάζωμεν!), die den Namen Pascha getragen haben dürfte.[408] Wenn dies zutrifft, haben wir im ersten Korintherbrief die älteste Erwähnung des christlichen Pascha/Osterfestes.[409]

---

406 Zwar gibt θύειν in der Paschaterminologie der LXX sowohl hebr. *šḥṭ* »schlachten« (Ex 12,21) wie *zbḥ* »opfern« (Dtn 16,2.4-6) wieder. Hier ist jedoch, wie Mk 14,12; Lk 22,7, im Sinn des Sprachgebrauchs der Mischna, mit »schlachten« zu übersetzen. Wenn auch das Pascha zur Zeit Jesu als Opfer verstanden wurde, liegt eine neutestamentliche Opferterminologie hier doch nicht vor, vgl. *Kuß* (Anm. 404) 296f.

407 So schon *J. Weiß,* Der erste Korintherbrief, Göttingen 1910, Nachdruck 1970, 135f. Vgl. u. a. auch *Jeremias,* Abendmahlsworte (Anm. 376) 76; *Conzelmann* (Anm. 399) 119; *Neuenzeit* (Anm. 399) 147.

408 Vgl. *E.-B. Allo,* Première Epître aux Corinthiens, Paris ²1956, 126f; *Lohse* (Anm. 405) 101-104. Anders *H.-J. Kraus,* Gottesdienst im alten und im neuen Bund: EvTh 25 (1965) 171-206, hier 186f.

409 *Schürmann* äußert sich zurückhaltend: »Der Vergleich Jesu mit dem Paschalamm 1 Kor 5,7 setzt wohl für antikes Empfinden voraus, daß sich Tag und Stunde des Herrentodes und der Paschaschlachtung gedeckt haben. Dann hätte Paulus (und die hinter ihm liegende Tradition ...) eine mit der johanneischen übereinstimmende Chronologie gehabt. ... Aus dem Inhalt von 1 Kor 5,7-8 selbst läßt sich weder beweisen, daß Paulus keine christliche Paschafeier gekannt habe, noch daß er sie gekannt hat« (Die Anfänge ... [Anm. 377] 420 bzw. 202f).

Die gleiche Theologie bezeugt bekanntlich das Johannesevangelium.[410] Im Gegensatz zu den Synoptikern vermeidet dieses bewußt alles, was das letzte Mahl Jesu als ein Paschamahl erscheinen lassen könnte. Jesus begeht das Abschiedsmahl mit den Jüngern »vor dem Paschafest« (13,1). Bei der Beschreibung des Mahles fehlt jeder Hinweis auf das Pascha, ebenso kennt das vierte Evangelium keinen »Einsetzungsbericht«, was angesichts seines betont eucharistischen Interesses[411] um so auffälliger ist. Während der Verhandlungen vor Pilatus betreten die Juden das Prätorium nicht, um nicht unrein zu werden, weil sie hernach noch das Pascha essen wollen (18,28). Auch andere Stellen bei Johannes lassen erkennen, daß Jesus an dem Tag gekreuzigt wurde, an dessen Abend die Juden das Pascha aßen (13,29: einige Jünger verstehen das Wort Jesu an Judas »Was du tun willst, tue bald« dahin, er solle kaufen, wessen sie zum Fest bedürften; 19,14.31: Jesus wird am Rüsttag des Pa-

---

410 Zwar wird Christus auch in Offb als »das Lamm, das geschlachtet wurde« bezeichnet (vgl. 5,6.9.12; 7,14; 12,11 u. ö.). Da diese Bezeichnung jedoch aus Jes 53 bzw. aus der jüdischen Apokalyptik stammen könnte (vgl. dazu vor allem *T. Holtz,* Die Christologie der Apokalypse des Johannes, Berlin 1962, 39ff. 78ff; *J. Jeremias,* ἀμνός etc., in: ThW I, 342ff; *E. Lohmeyer,* Die Offenbarung des Johannes, Tübingen ²1953, 54f), bleibt Offb in diesem Zusammenhang außer Betracht.

411 Vgl. *R. Schnackenburg,* Die Sakramente im Johannesevangelium, in: Sacra Pagina II, Gembloux/Paris 1959, 235-254, bes. 239-243; mit Nennung der älteren Lit.; *G. H. C. Macgregor,* The Eucharist in the Fourth Gospel: N.T. Studies 9 (1962/63) 111-119; *O. S. Brooks,* The Johannine Eucharist: JBL 82 (1963) 293-300; *H. Schlier,* Johannes 6 und das johanneische Verständnis der Eucharistie, in: Bibel und zeitgemäßer Glaube II, Klosterneuburg 1967, 69-95; *J. K. Howard,* Passover and Eucharist in the Fourth Gospel: Scott. Journ. Theol. 20 (1967) 329-337; *H. Klos,* Die Sakramente im Johannesevangelium, Stuttgart 1970. — Zu der bekannten Streitfrage, ob der »eucharistische« Teil 6, 51b-58 noch vom Evangelisten stammt oder durch eine Redaktion hinzugefügt wurde, vgl. zuletzt einerseits *R. Schnackenburg,* Zur Rede vom Brot aus dem Himmel: eine Beobachtung zu Joh 6,52: BZ NF 12 (1968) 248-252; *H. Leroy,* Rätsel und Mißverständnis, Bonn 1968, 109-124; *Klos,* aaO. 59-69, andererseits *G. Richter,* Zur Formgeschichte und literarischen Einheit von Joh 6,31-58: ZNW 60 (1969) 21-55.

scha gekreuzigt). Dieser johanneischen Tradition, wonach das letzte Mahl Jesu kein Paschamahl war, ist die griechische Kirche gefolgt, die die Eucharistie immer mit gesäuertem Brot gefeiert hat.
Vor allem die Tatsache, daß Jesus nach der Chronologie des vierten Evangeliums ungefähr zu der Zeit gekreuzigt wurde, da im Tempel die Paschalämmer geschlachtet wurden, zeigt, daß Johannes, wie Paulus, die Paschatypologie im *Tod* Jesu erfüllt sieht. Jesus ist »das Lamm Gottes, das die Sünde der Welt hinwegnimmt« (Joh 1,29).[412] Daß dem Gekreuzigten kein Bein zerbrochen wird, ist eine Erfüllung des Schriftwortes, das verbietet, dem Paschalamm einen Knochen zu brechen (19,36, vgl. Ex 12,46).[413] Wie für Paulus die Eucharistie nicht ein christliches Paschamahl, sondern Gedächtnis des Todes des Herrn und des in diesem gestifteten Neuen Bundes ist (1 Kor 11,23-26),[414] so sieht auch das Johannesevangelium den Ursprung der Eucharistie nicht im Paschamahl, sondern im Kreuzestod Jesu begründet (19,34)[415].

---

[412] Vgl. *M. Weise,* Passionswoche und Epiphaniewoche im Johannes-Evangelium: Kerygma u. Dogma 12 (1966) 48-62.

[413] Vgl. dazu u. a. *R. Schnackenburg,* Das Johannesevangelium I, Freiburg i. Br. 1965, 139. 286-288; zurückhaltend *Blinzler* (Anm. 375) 105.

[414] Das Paschamahl-Motiv »darf nicht eingelesen werden. Paulus kennt ja die Deutung des Todes Jesu als Passa-Opfer: 5,7. Aber er deutet dort nicht auf das Abendmahl hin, hier umgekehrt nicht auf das Passa« (*Conzelmann* [Anm. 399] 232 Anm. 43).

[415] Vgl. *W. Thüsing,* Die Erhöhung und Verherrlichung Jesu im Johannesevangelium, Münster i. W. 1960, 173: »Das Zeugnis des Evangelisten gilt der aus dem Tode Jesu kommenden lebenspendenden Heilsgabe, die in den Sakramenten der Kirche mitgeteilt wird.« Die Deutung von Blut und Wasser, die aus der Seite Jesu herausflossen, auf Eucharistie und Taufe wird kaum bestritten. Umstritten hingegen ist die johanneische Echtheit von Vs. 34b. Gegen *R. Bultmann,* Das Evangelium nach Johannes, Göttingen [19]1968, z. St.; Theologie des Neuen Testaments, Tübingen [6]1968, 144 vgl. jedoch *Thüsing,* aaO. 171-174; *E. Schweizer,* Das johanneische Zeugnis vom Herrenmahl: EvTh 12 (1952/53) 341-363, hier 348-353 = Neotestamentica, 379-384; *Schnackenburg,* Die Sakramente ... (Anm. 411) 246ff. Zurückhaltend *Klos* (Anm. 411) 74-81.

3. Ostern als das christliche Pascha

Es ist erstaunlich, mit welchem Übergewicht sich das bei Paulus und im Johannesevangelium bezeugte Paschaverständnis in der frühen Kirche durchgesetzt hat.[416] Das patristische Schrifttum ist allerdings nur schwer in den Griff zu bekommen, vor allem deshalb, weil – von Justin abgesehen – systematische Darlegungen über die Eucharistie vor der zweiten Hälfte des vierten Jahrhunderts kaum zu finden sind.[417] Zusammenfassende Untersuchungen über die Eucharistielehre der Väter sind überdies in der Regel von einem bestimmten Gesichtspunkt, wie dem der Realpräsenz, bestimmt.[418] Dennoch kann mit Sicherheit gesagt werden, daß die Vorstellung vom eucharistischen Mahl als Fortführung und Erfüllung des alttestamentlichen Paschamahles nur eine ganz untergeordnete Rolle gespielt hat. Recht selten wird unter der Bezeichnung Pascha die Eucharistie verstanden.[419]

---

[416] Als grundlegende Arbeiten seien vor allem genannt: O. *Casel,* Art und Sinn der ältesten christlichen Osterfeier, in: Jahrb. f. Liturgiewiss. 14 (1938) 1-78; *Schürmann,* Die Anfänge ... (Anm. 377); *Lohse* (Anm. 405); *W. Rordorf,* Zum Ursprung des Osterfestes am Sonntag: ThZ 18 (1962) 167-189; *J. Blank,* Meliton von Sardes. Vom Passa, Freiburg i. Br. 1963; *W. Huber,* Passa und Ostern (Beih.ZNW 35) Berlin 1969.

[417] Vgl. *J. Betz,* Die Eucharistie in der Zeit der griechischen Väter I/1, Freiburg i. Br. 1955, 343.

[418] Dies gilt namentlich von der wertvollen Übersicht von *G. Bareille,* Eucharistie, d'après les Pères, in: DThC V, 1121-1183.

[419] Für die griechischen Väter nennt *G. W. H. Lampe,* A Patristic Greek Lexicon, Oxford 1961, 1048a, lediglich sechs Stellen gegenüber mehr als hundert, an denen πάσχα Ostern bedeutet. Etwas zahlreicher sind die Belege, die *Betz,* aaO. 186f Anm. 166, zusammengetragen hat; dort begegnen wir u. a. der Feststellung: »Bei *Origenes* ist πάσχα ein Lieblingswort für die Eucharistie.« Für die lateinischen Väter vgl. etwa *Hieronymus* (in Matth. IV, 26): »Postquam typicum Pascha fuerat impletum, et agni carnes cum apostolis comederat, assumit panem, qui confortat cor hominis, et ad verum Paschae transgreditur sacramentum, ut quo modo in praefiguratione ejus Melchisedech, summi Dei sacerdos, panem et vinum offerens fecerat..., ipse quoque in veritate sui corporis et sanguinis repraesentaret« (PL 26, 202f). Zum Ganzen vgl. *G. Bareille,* aaO. passim, und vor allem *Huber* (Anm. 416) 129-135.

In der Monumentalüberlieferung ist das Abendmahl in den ersten Jahrhunderten nicht vertreten. Die beherrschenden Symbole, Brot und Fisch, knüpfen an die Brotvermehrung, nicht an das Paschamahl an. Andere Symbole für die Eucharistie sind das Frühmahl am See, die Hochzeit zu Kana, die Mannaspende, das Opfer Abels, Abrahams, Melchisedechs.[420] Für die frühe Kirche war die Eucharistie mehr die Fortsetzung der Mahlgemeinschaft des Auferstandenen mit seinen Jüngern als die des Pascha- oder Abschiedsmahles Jesu. Somit dürfte, wie bereits oben dargelegt wurde, gegenüber der verbreiteten Vorstellung von der Eucharistie als »Paschamahl des Neuen Bundes« größte Zurückhaltung angebracht sein.

Den ehrwürdigen Namen Pascha hat vielmehr in der christlichen Sprache nicht das eucharistische Mahl übernommen, sondern jenes eine große Fest, an dem die Kirche des Todes und der Auferstehung ihres Herrn gedenkt. Wenn die quartodezimanischen Gemeinden Kleinasiens am 14./15. Nisan *ihr* Paschafest feiern und nicht nur durch das Datum, sondern auch durch den Namen und durch die Lesung von Ex 12 als des typologischen Festtextes zu erkennen geben, daß sie in diesem den Sinn des jüdischen Pascha erfüllt sehen, dann feiern sie damit — johanneischer Tradition folgend[421] — das Gedächtnis des Todes, aber auch der Auferstehung des Herrn.[422]

---

[420] Vgl. DThC V,1183-1195; LThK² III, 1157f; *Betz* (Anm. 417) 90-92; *G. Wilpert,* La fede della chiesa nascente secondo i monumenti dell'arte funeraria antica, Città del Vaticano 1938, 92-118.

[421] Vgl. *Schürmann,* Die Anfänge . . . (Anm. 377) 117; *Blank* (Anm. 416) 35.39 und bes. *Huber* (Anm. 416) 21-25. — Die Frage, wie weit die urchristliche Paschafeier ihrerseits gestaltend auf das Johannesevangelium eingewirkt hat, muß hier unberücksichtigt bleiben; vgl. *G. Ziener,* Johannesevangelium und urchristliche Passafeier: BZ NF 2 (1958) 263-274.

[422] Dies wird besonders von *Blank* und *Huber* betont. In Auseinandersetzung mit *Lohse* (vgl. Anm. 405) schreibt *Blank:* »Die qu(artodezimanische) Praxis läßt sich mit der johanneischen Chronologie viel einleuchtender erklären, als mit der synoptischen. Allerdings wird man dann auch viel stärker als Lohse betonen müssen, daß diese Passa-Feier wirklich ›Gedächtnis des Todes und der Auferstehung Jesu‹ gewesen ist und nicht primär von der Parusie-Naherwartung beherrscht war« (aaO. 38f). Ähnlich *Huber:* »Der Festinhalt des quartodezimanischen Passa beschränkt sich nicht auf das stellver-

Diese Paschatheologie wird erstmals bei Justin greifbar[423] und wird dann vor allem in der ältesten uns erhaltenen Osterpredigt, der des Melito von Sardes († um 180), entwickelt[424]:

»Nun begreifet also, Geliebte,
wie neu und wie alt,
wie ewig und augenblickshaft,
wie vergänglich und unvergänglich,
wie sterblich und unsterblich es ist,
das Mysterium des Passa.
. . .
Als Sohn wurde er geboren,
als Lamm hinausgeführt,
als Schaf geschlachtet
und als Mensch begraben;
von den Toten erstand er als Gott,
von Natur Gott seiend und Mensch.«[425]

Keinen anderen Inhalt hat auch die aus der quartodezimanischen hervorgegangene[426] großkirchliche Osterfeier am Sonntag. Daß allerdings die Verlegung auf den Sonntag eine Schwerpunktverschiebung vom Gedächtnis des Todes Jesu auf das der *Auferstehung* nach sich ziehen mußte, ist nicht verwunderlich. Als schließlich im vierten Jahrhundert im Westen (im Osten schon früher) die historisierende Auseinanderfaltung des Osterfestes einsetzte und dieses in Karfreitag, Ostern, Himmelfahrt und Pfingsten aufgelöst wur-

---

tretende Fasten für die Juden und die Parusieerwartung, sondern umfaßt auch das Gedächtnis des Todes Jesu und, wahrscheinlich allerdings in geringerem Grade, das seiner Auferstehung« (aaO. 31).

423 Vgl. *Blank* (Anm. 416) 50f.

424 Dies gilt unabhängig von der Frage, ob Melito ein Quartodezimaner war (Lohse, Blank) oder nicht (Huber). — Zu Fundgeschichte, Ausgaben und Theologie der Predigt vgl. *Blank*, aaO. 22-25.42-97; O. *Perler*, Méliton de Sardes. Sur la Pâque, Paris 1966, 16-51; *Huber* (Anm. 416) 12f Anm. 9; 95-104.

425 2.8; Übersetzung nach *Blank*, aaO. 101f.

426 Vgl. *Huber*, aaO. 49-61.

de,[427] verblieb der Name Pascha dem Gedächtnis der Auferstehung allein.[428]

Dennoch wird die Eucharistie mit Recht Pascha genannt, nicht weil sie das alttestamentliche Pascha*mahl* fortsetzt und erfüllt, sondern weil in ihr das vollendete Pascha*mysterium* sakramental begangen wird: der große Aufbruch aus der Knechtschaft der Sünde in das neue Leben der Freiheit[429] im Gedächtnis (Anamnesis) des Todes und der Auferstehung des Herrn, »des Erstgeborenen aus den Toten« (Kol 1,18), und in der Mahlgemeinschaft mit ihm. Darum hat auch die Kirche ihr Paschafest nie anders begangen als mit dem eucharistischen Pascha.[430]

---

427 Vgl. *Huber*, ebd. 156-208.

428 Trotzdem finden wir das ganzheitliche Verständnis des Paschafestes noch bei Augustinus (vgl. *S. Poque*, Augustin d'Hippone, Sermons pour la Pâque, Paris 1966; *Huber*, aaO. 170-178). Es ist selbst Leo dem Großen nicht völlig fremd (vgl. *Huber*, aaO. 184f; *F. Hofmann*, Die Osterbotschaft in den Predigten Papst Leos d. Gr., in: Paschatis Sollemnia = Festschrift Jungmann, Freiburg i. Br. 1959, 76-86) und hat sich in der Liturgie besonders durch das (in der gleichen Zeit entstandene?) »Exsultet« bis in unsere Zeit erhalten, wonach die »festa paschalia« sowohl dem geschlachteten Paschalamm wie dem siegreich erstandenen Christus gelten.

429 Vgl. S. 18.

430 In einer Untersuchung über die biblischen Wurzeln des Begriffs »Eucharistie« kommt *H. Cazelles* zum Ergebnis: »Ainsi l'Eucharistie chrétienne est moins une action de grâces qu'une proclamation de la victoire du Christ par sa passion et sa résurrection« (Eucharisties d'Orient et d'Occident I, Paris 1970, 21).

Schlußwort

Wir sind im Geist den langen Weg abgeschritten vom Frühlingsfest altsemitischer Wanderhirten zum gaudium paschale der christlichen Gemeinde über das ihr zuteil gewordene Heil. So wechselvoll die mehrtausendjährige Geschichte des Pesachfestes auch gewesen sein mag – darin ist sich dieses stets gleich geblieben, daß es nie etwas anderes war als aufgerichtetes Zeichen des göttlichen Heils. Ob die Nomaden den Blutritus und das Opfermahl hielten, bevor sie den gefahrvollen Weg von den Winter- in die Sommerweiden antraten; ob Israel das Pesach beging, um seiner Befreiung aus der ägyptischen Knechtschaft zu gedenken; ob die Kirche ihr österliches Pascha feiert, um am Tod und an der Auferstehung ihres Herrn Anteil zu haben: immer bekennen sich die Feiernden in Dank und Hoffnung zu einem Gott, der Heil und Leben ist. Die Geschichte des menschlichen Heils geschah in fortschreitenden göttlichen Stiftungen und Umstiftungen. So enthüllt sich uns auch die Geschichte seines sakramentalen Gedächtnisses als eine Folge von Stiftungen und Umstiftungen. Es ist der Weg vom alten zum neuen Pascha.

Abkürzungsverzeichnis

Bb	Biblica
BZ	Biblische Zeitschrift
DBS	Supplément au Dictionnaire de la Bible (V 1957, VI 1960, VII 1966)
DThC	Dictionnaire de Théologie Catholique (V 1939)
EvTh	Evangelische Theologie
JBL	Journal of Biblical Literature
LThK	Lexikon für Theologie und Kirche[2] (III 1959, IV 1960, VIII 1963)
RB	Revue Biblique
RGG	Die Religion in Geschichte und Gegenwart[3] (II 1958)
RQ	Revue de Qumran
ThLZ	Theologische Literaturzeitung
ThQ	Tübinger Theologische Quartalschrift
ThW	Theologisches Wörterbuch zum Neuen Testament (I 1933, II 1935, V o.J. = 1954)
ThZ	Theologische Zeitschrift
VT	Vetus Testamentum
ZAW	Zeitschrift für die alttestamentliche Wissenschaft
ZDPV	Zeitschrift des Deutschen Palästina-Vereins
ZNW	Zeitschrift für die neutestamentliche Wissenschaft
ZThK	Zeitschrift für Theologie und Kirche

Literaturverzeichnis

Es wird nur eine Auswahl umfassender Arbeiten genannt; für Einzelfragen vgl. die Anmerkungen und das Autorenregister.

Beer G., Pesachim, Gießen 1912.

Casel O., Art und Sinn der ältesten christlichen Osterfeier: Jahrbuch f. Liturgiewissenschaft 14 (1938) 1-78.

Füglister N., Die Heilsbedeutung des Pascha, München 1963.

Glatzer N. N., The Passover Haggadah, New York 1953.

Horst F., Das Privilegrecht Jahves, Göttingen 1930.

Huber W., Passa und Ostern (Beih. ZNW 35) Berlin 1969.

Jeremias J., Die Passahfeier der Samaritaner (Beih. ZAW 59) Gießen 1932.

– Die Abendmahlsworte Jesu, Göttingen ^{4}1967.

Kraus H.-J., Zur Geschichte des Passah-Massot-Festes im Alten Testament: EvTh 18 (1958) 47-67.

– Gottesdienst in Israel, München ^{2}1962.

Kutsch E., Erwägungen zur Geschichte der Passafeier und des Massotfestes: ZThK 55 (1958) 1-35.

Laaf P., Die Pascha-Feier Israels, Bonn 1970.

Mowinckel S., Die vermeintliche »Passahlegende« Ex. 1-15 in Bezug auf die Frage: Literarkritik und Traditionskritik, in: Studia Theologica V, Lund 1952, 66-88.

Neuenzeit P., Das Herrenmahl, München 1960.

Nicolsky N. M., Pascha im Kulte des jerusalemischen Tempels: ZAW 45 (1927) 171-190.241-253.

Rost L., Weidewechsel und altisraelitischer Festkalender: ZDPV 66 (1943) 205-216.

Schürmann H., Der Paschamahlbericht Lk 22,(7-14) 15-18, Münster 1953, Nachdruck 1968.

Schweizer E., Das Herrenmahl im Neuen Testament: ThLZ 79 (1954) 577-592 = Neotestamentica, Zürich/Stuttgart 1963, 344 bis 370.

Segal J. B., The Hebrew Passover from the Earliest Times to A. D. 70, London 1963.

de Vaux R., Das Alte Testament und seine Lebensordnungen, Freiburg i. Br. I ^{2}1964, II 1962.

Autorenregister